KB009551

그림같은 세상

이 도서의 국립중앙도서관 출판시도서목록(CIP)은 e-CIP 홈페이지(http://www.nl.go.kr/cip.php)에서 이용하실 수 있습니다.(CIP제어번호: CIP2004000138)

그림 같은 세상

스물두 명의 화가와 스물두 개의 추억

황경신 지음

아트북스

여는 글

두 마리의 노란 물고기

이 세상에서 나만큼 '보는 것'에 서투른 사람도 드물 것이다. 몇 년째 살고 있는 동네에서 길을 잃어버리는 일이 심심찮게 일어나고, 한두 번 만난 사람의 얼굴은 90퍼센트 기억하지 못하며, 매일 만나는 사람이 헤어스타일이나 안경테를 바꾸고 나타나도 누가 말해주기 전까지는 결코 알아차리지 못한다. 주요 등장인물이 두 명 이상 되는 영화는 후반에 이를 때까지 스토리를 파악하지 못하며, 숨은그림찾기 같은 건 감히 도전해볼 생각도 하지 못한다. 이를테면 '눈썰미'가 없는 것이다.

대학 2학년, 자취방으로 돌아가는 길에, 그전까지 없었던 묵직한 나무문과 작은 간판을 내가 발견했다는 것은, 지금 생각하면 기적이다. '아옴화실'이라고 씌어진 그곳의 문을 두드릴 때까지만 해도, 내가 거기에서 일 년 동안이나 그림을 그리게 되리라고는 상상도 못 했다. 나에게는 무언가를 그리고 싶은 생각도, 그릴 수 있는 재능도, 묵묵히 앉아 한 가지 일에 열중할 만한 인내심도 없었다. 그러나 나는 그곳에서 많은 시간을 보냈다. 깊은 시간, 이라고 표현해야 할지도 모른다. 그 시간들은 양으로써가 아니라 질로써 가늠되어야 할 종류의 것이니까.

그곳에서 내가 제일 먼저 그린 그림은 유화였다. 유화물감과 캔버스, 그리고 붓은 모두 선생님이 주신 것이었다. 작은 캔버스 위에 나는 물감을 칠하고, 칠하고, 또 칠했다. 무엇을 그리고 있는 것인지 알지도 못한 채로. 몇 시간 후, 나는 두 마리의 노란 물고기가 컴컴한 공간 속을 떠돌고 있는 내 최초의 유화 작품을 감상하고 있었다.

나는 그날로 유화를 때려치웠다. 잘못 칠한 색을 다시 덧칠할 수 있다는 것은 꽤 매력적인 일이라고 생각했는데, 알고 보니 아주 골치 아픈 일이었다. 나는 도대체 '언제 그만둬야 할지' 알 수 없게 되었던 것이다. 게다가 색깔을 칠하면 칠할수록 그림은 점점 탁해졌다. 한 번 잘못한 부분은, 마치 아무 일도 없었던 것처럼 깨끗이 지워질 수가 없었다.

고등학교를 졸업하고 서울로 올라왔을 때, 나는 이제부터 멋지고 완벽한 인생을 살아야지, 결심했다. 하지만 일 년 후의 내 모습은 흡족하지 않았다. 인생을 덧칠할 수 있다면 얼마나 좋을까. 나는 무엇이든 될 수 있을 텐데. 그러나 화실에서의 일 년은, 내게 되돌아갈 수 없다는 것을 가르쳐주었다. 마지막까지 가보되, 내가 상상하던 그림이 아니라면 주저 없이 붓을 내던질 것. 두 마리의 노란 물고기는 내게 그 말을 하기 위해 지상에 잠깐 나타났다 사라졌다. 또한 그들은 내가 모르는 캄캄한 세계로 나를 인도했다. 나는 모든 것을 다시 한번 시작하는 대신, 새로운 세계의 입구로 들어가는 기쁨을 배웠다.

내가 그 묵직한 나무문을 두드렸을 때, 나와는 전혀 상관없을 것 같았던 그림이 내 인생으로 들어왔다. 내가 잘 알지 못하는 세계는 언제나 나를 격렬하게 끌어당긴다. 그 에너지가 나를 살아 있게 한다. 내 심장을 뛰게 한다. 어떤 그림을 처음 만날 때마다, 그 속에 뻗어 있는 무한한 길들을 감지한다. 그 안에서 길을 잃으면 또 어떻겠는가. 여기 실린 이 글들은, 아름다운 그림들 속에서 길 잃어버린 어느 몽매한 여행자의 기록이다.

황경신

김원(월간『PAPER』 편집인 · 아트디렉터), 홍순명(화가), 손경여(아트북스 편집자), 이 세 분이 없었다면 이 책은 나오지 못했을 것입니다. 사랑하는 엄마, 아빠, 『PAPER』 식구들, 오랜 친구들과 선후배들, 『PAPER』 독자들과 레모너 여러분들께 깊은 감사를 드립니다.

그림같은 세상

가을_

겨울_

봄

시절은 내게 어지러운 낙서를 남기고
우리가 알지 못하는 곳으로 흘러간다
그대가 내게 주고 간 서늘한 상처도
추억의 마지막 온기와 함께 사라진다
내가 지니고 살아온 아름다움은
이처럼 버릴 것이 많았으니
그대가 목숨처럼 지켜왔던 비밀에도
이제 이름 없는 잡초들만 무성하겠지
하지 못한 말들은 칼날이 되어
따가운 봄빛 속에 무심히 반짝인다

사진© 김원

Gustav Klimt

구스타프 클림트 Gustav Klimt, 1862~1918, 오스트리아

아르 누보 계열의 장식적인 양식을 선호했으며, 전통적인 미술에 대항해 반란을 일으킨 화가들의 단체인 빈 분리파를 창설했다. 1900~03년에는 빈 대학교의 벽화를 제작하였는데 그 표현이 너무나 생생하여 스캔들을 불러일으켰다. 이후 고독에 묻혀 자기 스타일에 파고들었다. 템페라, 금박, 은박, 수채를 함께 사용한 다채로운 기법을 사용했다.

참을 수 없는 봄의 가벼움

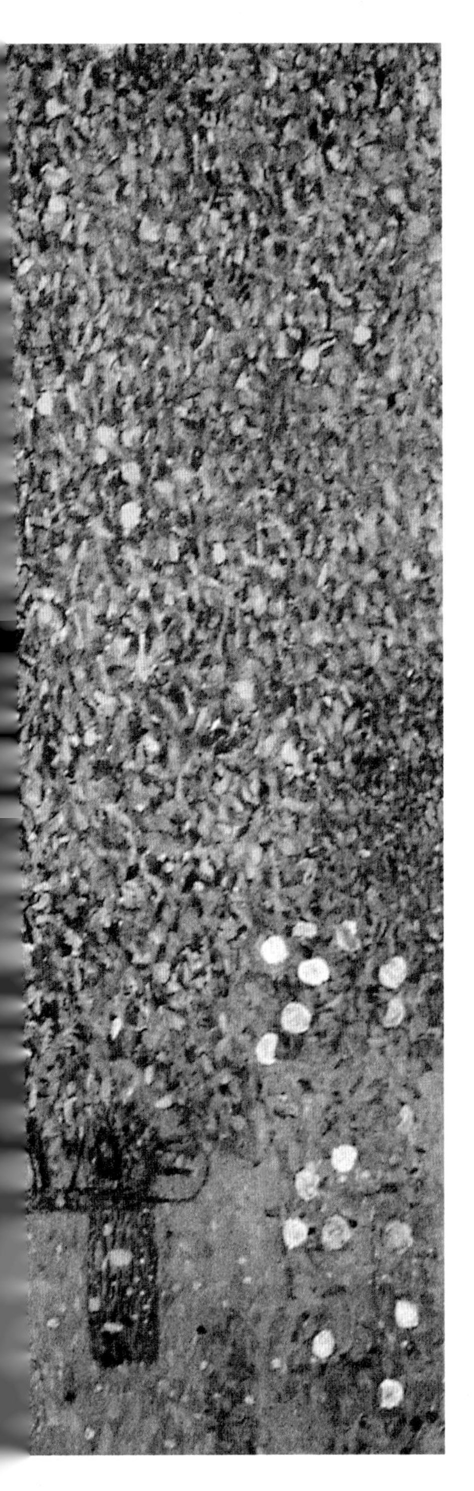

봄은 잠시도 머무르려 하지 않는다.
아무것도 남기려고 하지 않는다.
그것이 봄의 잔인한 점이다.
분명히 그곳에 있었지만,
그 증거는 어디에도 없다.

나무 아래의 장미 | Roses under the trees | 캔버스에 유채 | 1905

이 지구 어딘가에 '봄의 나라'가 있다. 일년 내내 아른아른 아지랑이가 피어오르고 해는 언제나 수줍은 듯 미소를 짓고 있다. 하늘에는 흰구름, 들판에는 초록색 풀들, 나무에는 이제 갓 태어난 여린 순들이 매달려 대지로부터 청결한 물을 마음껏 빨아들인다.

봄의 나라에 사는 사람들은 나비처럼 부드러운 옷을 입고 깃털처럼 가벼운 신을 신은 채 살금살금 걸어다닌다. 아무 생각 없이 쿵쾅거리며 걸어다니다가는 이제 막 피어나려는 가냘픈 꽃봉오리를 밟게 될 수도 있기 때문이다. 함부로 말하거나 함부로 행동하면 봄은 금방 시들어버린다. 봄 위에 위태롭게 정지해 있는 시간의 축이 흔들리면서 계절은 곧 여름으로, 가을로, 겨울로 바뀌어가게 되는 것이다.

그러니까 봄을 붙잡아두려면 항상 조심해야만 한다. 그걸 깨뜨리는 사람은 '봄의 나라' 로부터 추방당한다.

「봄은 고양이로다」라는 시를 쓴 사람은 이장희였던가. "꽃가루와 같이 부드러운 고양이의 털에 고운 봄의 향기가 어리우도다"라는 구절이 기억난다. 꽃가루에다 고양이의 털이라니, 금방이라도 재채기가 날 것 같다. 그래서인지 나는 '봄', 하면 알레르기가 생각난다. 알레르기, 즉 '특정한 물질에 대해 비정상적으로 나타나는 과민반응' 은 주로 봄에 일어난다.

모든 사물은 태어나서 처음 보는 것처럼 낯설고, 또한 언제 사라질지 모를 듯 안타깝다. 사물뿐 아니라 풍경도 그러하고 사람도 그러하다.

봄의 속성은 또한 '가벼움' 이다. 꽃가루처럼 가볍고 고양이의 걸음처럼 가볍고, 짝사랑하는 사람이 내게 보여주는 사소한 관심만큼 가볍다. 섣불리 건드렸다가는 흔적도 없이 달아난다. 하지만 어쩌랴. 사방에 꽃가루가 날리고 그것은 끊임없이 재채기를 터뜨리게 하며 비정상적인 과민반응에 빠진 육체는 작은 기쁨과 슬픔에 의해 깊은 절망과 희망 사이를 방황한다. 눈에 보이는 모든 것들과 사랑에 빠져 간절한 심정으로 두 손을 내미는데, 손에 잡히는 것은 아무것도 없다.

마침내 봄은 가버린다. 마음의 봄, 인생의 봄, 사랑의 봄은 가볍게 가볍게 날아가버리는 것이다. 마치 처음부터 존재하지 않았던 것처럼.

"나에게는 말하는 재능이나 글을 쓰는 재능이 없다. 나 자신 또는 나의 작업에 대해 알기를 원하는 사람은 나의 그림을 유심히 보고 그 속에서 내가 누구인지, 또 무얼 하고 싶어하는지를 알아내야 한다."

구스타프 클림트가 한 말이다. 만약 클림트가 자신이 그린 그림과 일치하는 사람이라면, 그는 대단히 상상력이 풍부하며 아름다움을 감지하는 특별한 능력을 지니고 있는 사람이었을 것이다.

클림트는 독특한 분위기의 인물화로 널리 알려졌지만, 초기에는 벽화를 주로 그렸다. 그의 그림에 나타나는 평면적이고 장식적인 느낌은 아마 그런 작업의 결과물이 아닐까 짐작한다.

그런데 나를 매혹하는 것은 그의 인물화들이 아니라 풍경화들이다. 그중에서 「나무 아래의 장미*Roses under the trees*」라는 그림은 그가 서른일곱 살 때 그린 것이다. 이 그림을 처음 보았을 때 나는 한 걸음 뒤로 물러나 눈을 가늘게 떠야 했다. 가까운 거리에서는 이 아른아른한 형체들이 무엇을 나타내는지 알 수가 없었기 때문이다.

클림트의 봄은 온통 가루다. 그 미세한 결정들이 금방이라도 흩어질 듯하다. 손을 뻗으면 그것은 형체도 없이 사라지겠지. 나무도 장미도 한순간의 봄처럼 손가락 사이로 빠져나가고 우리는 텅 빈 공간 속에서 끝없이 재채기를 터뜨리겠지.

이 세상 어딘가에 '봄의 나라'가 있다. 모든 사람들은 일생에 단 한 번 그곳에 간다. 대체로 아주 잠깐 머무를 뿐이지만, 꽤 오래 머무는 사람도 있다. 당신과 나도 언젠가 그 나라에서 만났다. 우리는 미열에 들떠 서로의 사랑을 갈망했으며, 스쳐 지나간 손길에도 소스라치게 놀랐으며, 아주 잠깐의 이별은 우리의 가슴을 조각조각 부서지게 했다. 당신을 잡을 수 있다면, 사랑을 얻을 수 있다면, 절벽에서 떨어져도 좋다고 생각했다.

하지만 그곳에서 평생을 보낼 수 있는 사람은 없다. 인간은 '비정상적인 과민반응' 상태를 오래 견디지 못하도록 만들어졌기 때문이다. 미열에 들떠 모든 것들과 사랑에 빠진 사람들은 곧 과잉된 집착과 욕망에 시달리게 되고, 결국 '봄의 나라'로부터 추방당한다. 그곳을 떠나온 사람들은 이렇게 말한다. '봄의 나라'는 그저 신기루일 뿐이라고. 잡으려 하면 손가락 사이로 빠져나가는 가루일 뿐이라고.

좀더 솔직한 사람들은 그곳의 기억을 노래로 만들기도 한다. 그리고 클림트는 그 기억을 그림으로 그린 사람이다.

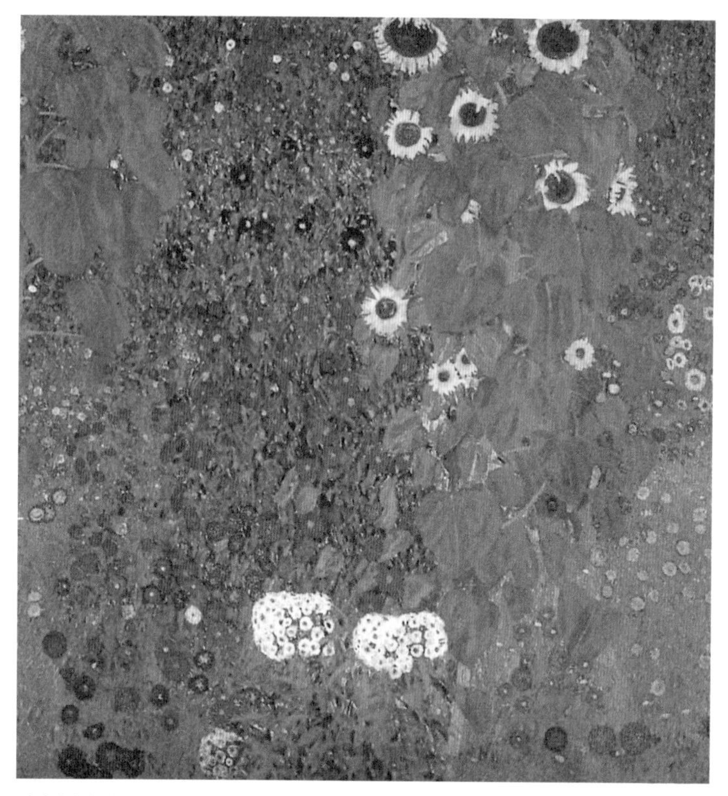

해바라기가 있는 농원 | Farm garden with sunflowers | 캔버스에 유채 | 1905~06

꽃들은 대체로 두려움을 모른다. 그들은 목숨을 걸고 피어난다.
내일 같은 건 어떻게 되어도 좋아, 라는 식이다.

너도밤나무 숲 | Forest of Beeches | 캔버스에 유채 | 1902

자, 이리 오렴, 어서 이리 와, 라고 그들은 말한다.
한 번 빨려들어가면 빠져나올 수 없다.

사이프러스가 있는 풍경 | Church at Cassone (landscape with cypress) | 캔버스에 유채 | 1913

그리고 그것은 어쩌면 이 생에서 다다를 수 없는 곳.
간절히 원하지만 갈 수 없는 곳.
아직은 이곳에서 당신을 사랑해야 하니까.

아테르제 호수의 섬 | Island in the Attersee | 캔버스에 유채 | 1901년경

평화로운 마음에 깊은 그림자를 만드는 것은

내 마음속에 늘 가라앉아 있는 어떤 존재의 우울함.

그 우울함은 구원받을 수 없어 아름답다.

little more 감각적이고, 대담하고, 부드럽고, 달콤하고, 도발적인 클림트와 사랑에 빠지지 않을 도리가 없다 ● 그는 본능적으로 관능의 본질을 알고 있다 ● 우리가 사물의 어떤 요소에 매혹당하는지 알고 있다. 브라보! ● 감미로운 샹송, 따사로운 보사노바, 초콜릿 맛이 나는 재즈 보컬, 예쁜 미뉴에트…… 클림트와 어울리는 것은 그런 봄의 노래들이다 ● 그리고 이 짧은 시 한 편.

봄, 파르티잔

꽃 그려 새 울려 놓고
지리산 골짜기로 떠났다는
소식

—서정춘 시집, 『봄, 파르티잔』(시와시학사, 2001) 중에서

Isaac Levitan

아이삭 레비탄 Isaac Levitan, 1844~1900, 러시아

어려서 부모를 잃고 모스크바 미술학교에서 그림을 그리기 시작했다. 러시아의 대자연을 주제로 한 서정적인 풍경화를 주로 그렸으며 1884년부터는 이동파移動派 운동에 가담하기도 했다. 그의 주요 대표작들은 모두 모스크바의 트레탸코프 미술관에 소장되어 있다.

흐리고 어두운 날

흐린 날 | Cloudy day | 종이에 파스텔 | 1895

하늘과 강이 구름으로 뒤덮여도
우리가 발 디딜 푸른 땅은 남아 있지 않니, 라고
누군가 다정하게 타이르는 듯하다.

이런 풍경을 본 적이 있다. 밤이었지만
어둡지 않았고, 혼자였지만 무섭지 않았다.
달과 호수, 나무와 풀들, 나도 그들의
일부였으니까.

황혼의 달빛 | The twilight moon | 캔버스에 유채 | 1899

햇빛 속에 있는 어떤 요소는 사람의 기분을 밝게 만든다는 이야기를 들었다. 무슨 과학적인 근거가 있었는데, 그건 잊어버렸다. 하긴 과학적인 근거 같은 건 몰라도, 온몸에 따뜻한 햇빛을 받으면 기분이 좋아지는 것이 사실이다.

오래도록 추운 날씨가 계속될 때는 햇빛이 더욱 그립다. 날씨가 좋지 않은 곳에서 사는 사람들은 우울증에 빠지기 쉽다고도 한다. 당연히 눈부신 햇빛이 듬뿍듬뿍 내리쬐는 곳에 사는 사람들은 낙천적인 성격을 갖게 된다. 기가 막히게 좋은 날씨가 매일매일 계속된다면, 골치 아픈 일들도 대수롭지 않게 넘겨버릴 법하다.

트래비스Travis의 「사이드Side」라는 노래를 들어보면, "인생은 메이저와 마이너 키, 양쪽 모두이다"라는 가사가 나온다. 부정할 수 없는 명제이다. 메이저만 무한히 되풀이된다거나 마이너만으로 가득 채워진 인생 같은 건 어디에도 없다. 찰스 슐츠의 만화 『피너츠』(스누피로 잘 알려진 만화의 원제)에도 기가 막힌 명언이 나온다. 찰리 브라운의 친구, 프랭클린의 대사이다.

"우리 할아버지는 지나간 인생이 당신에게 비교적 친절했다고 얘기해. …… 그런데 한 해 한 해 자세히 생각해보면 불친절한 점도 많았대."

「흐린 날Cloudy Day」. '흐린 날, 구름이 많이 낀 날'의 풍경을 그린 사람은 아이삭 레비탄이라는 이름을 가진 화가이다. 러시아 사람으로, 안톤 체홉, 차이코프스키와 견줄 만한 업적을 남겼다고 하는데, 나로서는 처음 듣는 이름이다.

그의 어머니는 그가 열다섯 살 되던 해에, 아버지는 그로부터 이 년 후에 세상을 떠났는데, 그때 그는 모스크바 미술학교에서 그림과 조각을 배우고 있었다. 그가 태어날 때부터 그의 집안은 가난했고, 때문에 그는 무일푼으로 세상에 남겨지게 되었다. 그는 매일 밤 친척들과 친구들의 집을 전전하며 잠을 잤고, 갈 곳이 없을 때는 학교의 빈 교실에서 밤을 보내기도 했다. 그는 더이상 수업료를 낼 수도 없었는데, 학교에서는 '예술에 대한 뛰어난 재능과 극심한 가난'이라는 상황을 참작하여, 그가 계속 교육을 받을 수 있도록 해주었다. 학교의 경비원까지 그에게 자신의 잠자리를 내주는 것으로 그를 도와주었다.

그는 서정적인 러시아 풍경화가들의 영향을 받았으나, 초기부터 무척 개성적인 자신의 방식으로 그림을 그렸다고 한다. 그림뿐 아니라 시와 음악에도 무한한 열정을 갖고 있던 그는 안톤 체홉과 친구가 되기도 했다. 그의 그림들은 '대표적인 무드 풍경화'로 불리며, 러시아 지식인들의 열렬한 사랑을 받았다. 그는 삶에 대한 철학적인 고뇌를 거듭하며 뛰어난 예술가로 성장했다.

1897년, 레비탄은 자신이 심한 심장병을 앓고 있다는 사실을 알게 되었다. 그러나 죽음과의 싸움 속에서 그의 열정은 더욱 치열해졌다. 뛰어난 테크닉과 특별한 영감은 그에게 세상을 떠나는 날까지 수없이 새로운 스타일의 작업을 시도하게 했다. 그는 생이 끝나기 직전까지 모스크바 미술학교에서 그림을 가르치고, 문학과 예술 클럽에 참여하고, 많은 전시회를 열면서 활발하게 활동했다. 그 시대의 많은 예술가들과 깊은 우정을 나누었으며, 당대를 대표하는 화가로 인정받았다. 그리고 마흔 살에 세상을 떠났다.

인생이라는 노래 속에는 메이저 키도 있고 마이너 키도 있다, 살다 보면 맑은 날도 있고 흐린 날도 있다, 인생은 우리를 친절하게 대할 때도 있고 불친절하게 대할 때도 있다, 뭐 이런 당연하고 교훈적인 소리를 하고 싶지는 않다. 사노라면 언젠가는 좋은 날도 올 것이며, 흐린 날도 날이 새면 해가 뜬다, 같은 얘기도 싫증날 정도로 들어왔다.

난 좀 다른 이야기를 하고 싶다. 그것은 흐린 날에도 흐린 날의 아름다움이 존재한다는 것이다. 마이너 키로 만들어진 노래도 따뜻한 감동을 품고 있으며 불친절한 인생도(도가 지나치지만 않다면) 나름대로의 매력이 있다. 레비탄의 이 그림은 이런 이론을 훌륭하게 뒷받침하고 있다.

그가 그린「흐린 날」을 들여다보고 있으면 그리 우울한 기분은 들지 않는다. 세상을 뒤덮은 구름은 푸른 하늘의 한 조각도 보여주지 않지만, 거기에는 불쾌한 일이 시작되리라는 전조 같은 게 없다. 구름을 그대로 비추고 있는 강의 모습도 마찬가지다. 화면을 가로지르고 있는 푸른 들과 살풋 끼어든 풀 한 포기는 '모든 것이 잘될 거야, 아무것도 걱정 마' 라고 이야기하는 듯하다.

가난했던 시절, 레비탄이 자신의 처지를 비관하고 그림에 대한 열정을 접었더라면, 그의 남은 인생은 어떻게 되었을까. 단지 '어둡고 흐린 날이 지나면 맑은 날이 올 거야' 라는 상투적인 신념만으로는 그의 인생을 바꿀 수 없었을 것이다. 단언할 수는 없지만, 그는 자신의 흐린 날들을 진심으로 사랑했던 거라고, 난 생각한다.

봄, 홍수 | Spring, flood | 캔버스에 유채 | 1897

아무런 장식도 없는 작은 마음의 배를 타고
어디론가 흘러가는 것, 그것이 봄.

달빛 어린 밤 | Moonlit night | 캔버스에 유채 | 1897

아이삭 레비탄은 인터넷 서핑을 하다가 우연히 발견한 화가이다.

난 이 사람의 컬러, 질감, 분위기가 아주 마음에 든다.

그의 그림을 들여다보고 있으면, 여러 가지 이야기가 들린다.

첫번째 초록, 오월, 탐구 | The first green, May, Study | 캔버스에 유채 | 1883

이 집에는 '오월' 이 살고 있어서, 똑똑, 문을 두드리면
"어서 오세요" 하고 반갑게 맞아줄 것 같다.

볼가 강의 저녁 ¦ Evening on the Volga ¦ 캔버스에 유채 ¦ 1888

깊고 푸른 밤이 천천히 다가온다.

그것은 부드러운 곡선을 지닌 언덕처럼 안온하다.

사람의 마음은 그 언덕에 올라 밤과 또 새로운 낮을 기다린다.

little more 레비탄과 별로 상관은 없지만, 스누피 이야기가 나온 김에 그 이야기를 좀더 하고 싶다 ● 내 책상 위에는 두 마리의 스누피가 앉아 있다 ● 피아노 위에는 모두 다른 옷을 입고 있는 네 마리의 스누피가 있고, 옷장 안에는 스누피가 그려진 티셔츠 두 개와 우드스탁이 그려진 티셔츠 한 개가 있다 ● 연필꽂이에는 스누피 연필과 스누피 색연필이, 휴대폰 액정화면에는 뛰어다니는 스누피와 우드스탁이, 그리고 책꽂이에는 스누피가 나오는 만화 『피너츠』가 여러 권 꽂혀 있다 ● 스누피를 모르는 사람이 세상에 있을 거라고 생각하진 않지만, 그래도 스누피에 대해 간단히 소개를 해두자 ● 그는 피자와 아이스크림, 그리고 모든 종류의 스포츠를 좋아하고, 자신의 밥그릇과 사랑에 빠지며, 타이프라이터로 소설을 쓰는 (소설의 첫 구절은 늘 '어둡고 폭풍이 몰아치는 밤이었다' 로 시작한다) 비글 개이다 ● 그는 1950년, 찰스 먼로 슐츠라는 미국인에 의해 태어났다 ● 여덟 명의 형제를 가지고 있으며 아직 아기였을 때 찰리 브라운이라는 소년을 만났다 언제나 인생에 대한 고민거리를 안고 있는 찰리 브라운은 소극적인 성격을 가진 아이로, 야구에서도 사랑에서도 승리의 기쁨을 맛본 적이 없지만, 그의 특별한 개 스누피로 인해 전세계적인 인기를 얻었다. 세계적인 뮤지션들이 찰리 브라운을 위한 트리뷰트 앨범을 만들었다는 사실 하나만으로도, 찰리 브라운과 스누피의 인기를 짐작할 수 있다. '이 세상에서 가장 슬픈 것은 마지막 하나 남은 쿠키', '누군가와 굉장히 친해졌다고 생각했는데, 아무런 이유도 없이 점점 멀어져가는 것 같기도 하다. 내 밥그릇은 늘 60센티미터 거리에 있었는데, 가끔은 90센티미터 거리에 있는 것처럼 여겨지기도 한다' 등등의 많은 명언들이 이 만화에 등장한다. 이 낙천적이고 즐거운 스누피는 분명히 레비탄의 그림들과 통하는 부분이 있다. 그렇지 않다면 내가 레비탄의 그림을 보면서 『피너츠』의 한 장면을 떠올렸을 리 없으니까.

Henri Matisse

앙리 마티스 Henri Matisse, 1869~1954, 프랑스

처음에는 파리에서 법률을 배웠으나 화가로 전향했다. 드랭, 블라맹크 등과 함께 야수파 운동을 전개했다. 20세기 프랑스 화가 가운데 가장 중요한 화가로 손꼽힌다. 그의 소재는 주로 실내풍경이나 구상적 형태였으며, 그가 주제를 다루는 방식은 지중해 특유의 활기가 넘친다.

좋은 일은
창 너머에서 온다

희망은 늘 두려움과 함께 온다.
두려움은 저 혼자서도 오지만, 희망은 혼자 오는 일이 없다.
그래서 희망을 향해 창을 열 때는 각오가 필요하다.

창(수선화가 있는 실내) | The window(Interior with Forget-Me-Nots) | 캔버스에 유채 | 1916

창을 열면 바다가 보이는, 그런 그림 같은 집이었다. 한적한 바닷가를 걷고 있던 나는, 그 집에 살고 있는 사람이 누구인지 궁금해졌다. 문을 두드리자 젊은 남자가 나왔다. 잠시 집을 구경하고 싶다고 했더니, 그는 흔쾌히 안내를 해주었다. 아주 작은 집이었고, 가구도 거의 없었다. 다만 바다를 향해 나 있는 커다란 창이 인상적이었다.

"매일매일 창을 통해 바다를 볼 수 있다니, 정말 대단해요."

내가 말했다. 그는 빙긋 웃으면서 이렇게 대답했다.

"사실 그 때문에 아무것도 없는 이곳으로 이사를 왔지요. 이사를 오고 나서 처음 한 달 동안은 아침부터 저녁까지, 혹은 한밤중에도 바다를 바라보았어요. 두 달이 지났을 때는 날씨가 아주 좋은 날만 창을 열고 바다를 보았죠. 세 달이 지나가면서부터는 가끔 환기를 위해 창을 열 뿐입니다. 무엇이든 소중한 것을 소유한다는 것은, 그런 것이겠죠."

물론 그런 일이 실제로 일어나지는 않았다. 그러나 나에게는 아주 생생한 꿈이었기 때문에, 마치 실제로 일어난 일과 마찬가지처럼 여겨졌다. 가끔 어떤 꿈들은 그저 꿈으로 끝나지 않고, 나에게 어떤 각성을 요구한다. 창을 열면 바다가 보이는 집에 살고 있는 남자에 대한 꿈도 그랬다. 나는 그 꿈으로 인해, 내가 원하는 것, 내가 원하여 이룬 것, 지금 소유하고 있는 것, 그들의 가치 같은 것에 대해 곰곰이 생각해보게 되었다.

한때, 창 밖으로 보이는 푸른 하늘을 무지하게 그리워한 적이 있었다. 지하에서 지상으로 방을 옮긴 이후, 나는 휴일이면 하루 종일 창을 열어놓고 하늘을 바라보았다. 동이 트는 하늘, 해가 쨍쨍하게 비치는 하늘, 흐린 하늘, 구름이 많은 하늘, 바람이 부는 하늘, 비가 오는 하늘, 해가 지는 하늘, 캄캄한 하늘……. 나는 하늘이 보이는 곳에서 살게 되어 행복하다고 생각했지만, 그 행복은 오래 가지 않았다. 한두 달쯤 지난 후부터 내 방의 작은 창문은 늘 닫혀 있게 되었다. 그후 나는 창을 열어도 하늘이 보이지 않는 집으로 이사를 갔다.

기형도 시인의 시 중, 「죽은 구름」이라는 시가 있다. 그 시의 마지막 구절이 기억난다. "저 홀로 없어진 구름은 처음부터 창문의 것이 아니었으니"라고 시인은 썼다. 창 너머로 구름이 나타났다 사라지고, 하늘이 밝았다 어두워지고, 새들은 머물렀다 날아간다. 창은 우리가 궁극적으로 소유해야 할 것이 '세상을 보는 눈' 임을 일깨워준다.

마티스는 흔히 '야수파' 라는 터프한 이미지로 우리에게 알려져 있지만, 그것은 그가 서른여섯 살 때부터 마흔네 살까지 그린 그림들에서 보여지는 성향이며, 그의 미술사 전체를 놓고 볼 때 비교적 짧은 기간이다. 그 시기 이후 그는 '균형과 순수함과 조용함' 을 추구하며 '모든 사람에게 있어서 하나의 진정제가 될 수 있는 예술을 만들어야 한다' 는 생각으로 그림을 그렸다. 물론 그가 야수파에 속해 있던 시기에 얻게 된 주관적이고 자율적인 색채는, 그 이후에도 마티스의 색깔을 규정하는 중요한 요소로 작용한다. 그러나 그의 작품은 갈수록 단순해진다.

마티스는 창문을 무척 좋아했다. "창은 내게 있어 공간이라는 수평선으로부터 나의 작업실 내부로 이르는 하나의 통일체이다. 창문 너머 지나가는 배들도 내 주변의 친근한 사물들과 동일한 공간 속에 존재한다. 창문이 있는 벽은 두 개의 다른 세계를 만들어내는 것이 아니다"라고 그는 말했다. 1916년에 그려진 「창」이라는 제목의 이 작품을 보고 있으면, 그는 창의 바깥 세계와 안쪽 세계를 구분 짓지 않았던 게 아닌가 하는 느낌이 든다. 이 작품은 내게 거칠면서도 섬세하고, 투박하면서도 부드럽고, 차가우면서도 따뜻한 느낌을 준다.

"본다는 것은 그 자체가 노력을 요하는 창조적 작업이다. 우리가 일상생활에서 보는 모든 것은, 정도의 차이는 있으나 습득된 습관에 의해서 왜곡된다. 현대와 같은 시대에는 더욱 그렇게 되기가 쉽다. 영화, 광고, 잡지 등은 우리를 매일 기성의 이미지들의 홍수 속으로 몰아넣는다. 이러한 이미지들은, 지성에 있어서의 편견과 같이, 우리의 시각을 왜곡시킨다. 특히 모든 것을 최초로 보는 것과 같이 보아야 하는 미술가에게는 이같은 용기가 필요불가결한 것이다. 미술가는 일생 동안 그가 어렸을 때 보았던 방식으로 보아야 한다"라고, 마티스는 그의 '화가노트'에 기록해두었다.

그리고 창을 열면 늘 최초로 보는 세계가 있다. 슬픔이나 절망이나 이별을 두려워하면서 창을 열지 않은 사이, 마음은 더욱더 단단해져간다. 세상의 좋은 일이란 모두 창 너머로부터 오는 것인데.

붉은 식탁 | Red dining room table | 캔버스에 유채 | 1908

구름도 빛도 바람도, 그 창가에 영원히 머무르진 않는다.
애틋함도 아쉬움도 분노도 영원히 우리의 생을 지배하지 못하는 것처럼.
우리를 살아가게 하는 것은 식탁과, 그 식탁 앞에 앉을 수 있는
의자인지도 모른다.

바이올린이 있는 실내 | Interior with a violin | 캔버스에 유채 | 1917~18

'어릴 때 보았던 방식' 으로 세계를 보는 마티스는,

무한한 호기심으로 이 세계와 저 세계 사이에 있는 문을 연다.

그의 시선을 감지한 사물들은 스스로 내부를 열어보인다.

창 | Window | 캔버스에 유채 | 1905

창 밖으로부터 불어오는 바람에는 신선한 공기와 먼지가 함께 들어 있다.
누구도 신선한 공기만을 골라 마실 수는 없다.

축음기가 있는 실내 풍경 | Interior with Phonograph | 캔버스에 유채 | 1924

우리는 모두 자신의 창을 가지고 있다.

어떤 고정관념, 가치관, 이데올로기, 환경이나 학습에 의한 선입견 등이 그 창이다. 그것에 집착할수록, 창은 점점 굳게 닫힌다.

little more

꿈의 세계에는 어떤 '존재' 의 '의지' 가 있다 ● 그것은 가끔 꿈을 통해 발현한다 ● 나 자신도 깜짝 놀랄 만큼 철학적인 꿈을 꿀 때가 있는데, 꿈에서 깨어나 그 내용을 한참 곱씹어보면 그것이 현재 내 인생의 키워드라는 것을 알게 된다 ● 그런 꿈은 대체로 중요한 선택을 해야 할 지점에서 나타난다 ● 어떤 '존재' 가 '지금 너의 인생에서 중요한 것은 이것이다' 라는 것을 알려주고, 나는 그것을 충분히 참고하여 '선택' 을 하는 것이다 ● 이런 경우, 어떤 '존재' 가 나의 '무의식' 이라고 할 수는 없다 ● 그러나 그 '존재' 가 나의 의식과 완전히 별개라고 말할 수도 없다 ● 내 의식 속에는 나이면서 동시에 내가 아닌 무엇이 있다 ●

창에 대한 꿈은, 지금도 실제로 일어났던 일보다 더 생생하게 기억해낼 수 있다 • 창을 열면 바다가 보이는 그 집을, 내게 그런 재능만 있다면, 나는 아주 구체적으로 그려낼 수도 있다 • 마티스의 「창」을 만났을 때, 저절로 그 꿈이 떠올랐다 • 나는 나의 창을 통해 무엇을 보고 있는가. 아니, 창을 열고 세상을 보고 있긴 한 걸까.

Claude Monet

클로드 모네 Claude Monet, 1840~1926, 프랑스

1874년 파리에서 열린 〈화가·조각가·판화가·무명예술가 협회전〉에 출품한 「해돋이 인상」이라는 작품 제목에서 인상파란 이름이 붙여졌다. 원숙기의 작품에서는 빛에 따라, 또는 자신의 흥미가 바뀜에 따라 캔버스를 바꿔가며 같은 주제를 연작으로 그렸다. '연작'에는 대개 날짜가 적혀 있고, 함께 전시되는 경우가 많았다. 모네는 지베르니에 있는 집에 수련이 가득한 연못을 만들었는데, 이 연못은 그의 '수련' 연작에 영감을 주었다.

모네의 정원에 비가 내리다

모네는 1890년에 지베르니에 있는
집을 사서 화실을 만들었고,
1893년에 집 주위의 땅을 사들여
정원을 만들었다. 엡트 강의 지류에서
물을 끌어와 연못에는 수련을 심고
일본풍의 다리를 놓았다. 모네의 정원에는
지금도 사시사철 양귀비, 수국, 장미,
붓꽃, 아이리스 등이 피어나고 있다.

아이리스가 있는 모네의 정원 | Monet' s garden, the irises |
캔버스에 유채 | 1900

혼자 여행을 간다는 것, 그것은 자기 자신에게 끊임없이 '너, 지금 무슨 생각을 하고 있니' 라고 묻는 일이다. '너, 여기서 무얼 할 거니', '너, 언제 움직일 거니', '너, 이제 어디로 갈 거니', '너, 어떻게 돌아갈 거니' 라는 질문에 대해 대답하는 일이다. 내가 생각한 것을 아무에게도 이야기하지 않는 일이다. 즐거움도 우울함도 놀라움도 온전히 나 혼자 끌어안는 일이다. 아무것도 선택하지 않고 아무것도 결정하지 않으면 한 발자국도 움직일 수 없는 것, 그것이 '혼자 여행을 간다' 는 것이다.

내가 최초로 혼자 여행을 떠난 곳, 그곳은 파리였다. 가장 싼 비행기 티켓을 끊었기 때문에, 서울에서 파리까지 가는 데 꼬박 열아홉 시간이 걸렸다. 나는 앞으로 닥쳐올 일에 대해 두려움을 느끼지 않는 타입의 인간인지라 그다지 긴장하진 않았지만, 그렇다고

속이 편하지만은 않았던지, 비행기 안에서 잠을 거의 자지 못했다.

그리고 어느 가을 새벽, 불어라고는 한마디도 모르는 채로, 파리 시내 지도 한 장 없이, 두세 벌의 옷이 들어 있는 슈트케이스와 함께, 나는 샤를드골 공항에 떨어뜨려졌다. 그때 내 손에는 무라카미 하루키의 소설 『국경의 남쪽, 태양의 서쪽』이 들려 있었다.

파리에서 머물렀던 닷새 중에서 나흘 동안 내가 한 일은, 파리 시내를 걸어다니는 것이었다. 아침 일찍 숙소를 나서서 밤이 될 때까지 걸었다. 다리가 아프면 아무 공원에나 들어가 쉬고, 배가 고프면 아무 곳에서나 빵을 사먹고, 목이 마르면 미네랄 워터를 마셨다. 기분이 내키면 미술관에 들어가고, 센 강을 걷고, 몽마르트르의 작은 카페에서 셰리주를 마시며 재즈를 들었다.

그리고 닷새 중의 하루, 파리 시내에서 70킬로미터 정도 떨어진 지베르니를 찾아갔다. 모네의 정원이 있는 곳이다. 루브르 박물관이나 베르사유 궁전보다, 나는 모네의 정원이 그리웠다. 한 번도 가보지 않은 곳을 그리워한다는 건 어쩐지 이상하지만.

그날은 비가 왔다. 수정처럼 단단하고 투명한 가을비였다. 모네의 집을 통과하여 정원으로 나갔을 때, 마침 비가 그치고 해가 반짝, 떠올랐다. 순간 정원은 마술에 걸린 듯 신비로워졌다. 꽃잎과 풀잎들은 빗방울을 매달고 나를 향해 활짝 웃어보였다. 그 즐거움이 나에게로 전이되어 웃음을 터뜨리지 않을 수 없었다. 봄, 여름,

가을, 겨울. 올 때마다 이곳은 다른 모습을 보여주죠. 누군가 그렇게 말했다. 이런 곳에서 그림을 그리다니, 모네는 정말 행복한 화가였구나. 참 다행이야. 그런 생각이 들어 나는 행복해졌다.

수련이 있는 연못으로 들어서자, 모네의 그림에서 본 낯익은 아치형의 다리가 모습을 드러냈다. 막 비가 개인 촉촉한 풍경은 모네의 그림을 그대로 옮겨놓은 것처럼 충만한 아름다움으로 가득 차 있었다. 모네의 그림을 처음 보았을 때, 나는 그 흐릿한 이미지들이 어떤 의도를 지니고 있다고 생각했다. 그러나 알고 보니, 내가 본 그림들은 말년에 접어든 모네가 시력이 악화된 상태에서 그린 것이었다. 그에게는 세상이 '그렇게' 보였다. 그래도 그가 본 것이 바로 이 정원이어서 참 다행이다. 회색빛 도시의 풍경이 아니라, 이렇게 수많은 색채들이 살아 움직이는 자연의 풍경이어서.

1899년부터 모네는 '수련' 연작을 그리기 시작했고, 그 작품들은 오랑주리 미술관에 있는 타원형의 전시장에 보관되어 있다. 둥근 벽면을 가득 채운 모네의 수련 앞에서, 나는 한참 동안 주저앉아 있었다. 미술관 바닥에 동양 여자 하나가 털썩, 앉아서 넋을 놓고 있는데, 그런 나를 이상하게 바라보는 사람은 하나도 없었다. 오히려 몇몇 사람들은 내 옆에 함께 주저앉아버렸다. 모네의 정원에 다녀오셨나요. 그럼요. 우린 오래된 친구처럼 낮은 목소리로 소근소근 그런 말을 주고받으며, 모네의 수련 속으로 다시 빨려들어가고 있었다.

세상을 살아간다는 것은 혼자 여행을 떠나는 것이다. 혼자 떠난 여행의 외로움을 즐길 수 있는 사람은 이 생에서의 외로움을 끌어안을 수 있다. 내 마음의 목소리를 듣게 되는 것, 그 목소리에 따라 선택하고 결정할 수 있는 것, 자신이 택한 길의 풍경을 진심으로 만나게 되는 것, 그 풍경의 시간을 거슬러올라가 아주 먼 옛날, 누군가의 목소리를 감지하는 것. 그리고 그것에 감사하는 것. 혼자가 아니었다면, 나는 모네와 모네의 정원과 모네의 수련에 그토록 감사하지 못했을 것이다.

사람들은 묻는다. 혼자 떠난 여행은 너에게 무엇을 남겨주었냐고. 나는 그냥 웃는다. 그건 나와 내 마음, 둘만의 비밀이니까.

포플러 | Poplars | 캔버스에 유채 | 1891

'한순간에 완전한 형태를 포착하는 것.' 1890년도에 모네는 이 과제에 집착한다. 그는 빛 속에서 드러나는 완전무결한 한순간을 잡고 싶어했다. 하지만 그는 "태양을 도저히 따라잡을 수가 없으며, 내 작업 속도가 너무 느리다"라고 한탄하기도 했다. 이 그림에서 포플러 나무들은 마치 빛을 따라 승천하는 듯하다.

레몬 트리 | Lemon trees | 캔버스에 유채 | 1884

모네의 색채들 중에서 나를 가장 매혹시키는 것은
이 아름다운 레몬 빛깔이다.
아직 시작되지 않은, 감미로운 운명을 예고하는 듯한 빛깔.

수련 | Water lilies | 캔버스에 유채 | 1915~17

'수련' 연작은 이미 노년에 접어든 모네에게 있어서 무척
강도 높은 작업이었다. 1911년에 두번째 부인 알리스가 세상을 떠났고,
1914년에는 장남이었던 장 모네가 사망했으며, 1919년에는
시력이 악화되어 작업을 중단해야 했다. '수련' 연작은 모네에게 있어서
'현실의 슬픔에 빠지지 않기 위한 수단' 이었다.

little more

파리로 여행을 떠나기 전, 누군가 나에게 이 책을 선물해주었다 ● 모네의 정원을 가고 싶다, 라는 생각을 하게 된 것은 순전히 이 한 권의 책 때문이다 ● 어릴 때부터 친구였던 크리스티나 비외르크와 레나 안데르손, 두 사람이 글을 쓰고 그림을 그렸는데, 꽃을 좋아하는 리네아가 블룸 할아버지를 따라 모네의 정원을 방문한다는 내용이다 ● 파리의 미술관에서 모네의 그림을 보고, 그림의 배경이 되었던 모네의 정원을 찾아가는 과정이 일기 형식으로 담겨 있다 ● 이 책을 내게 선물한 이는 일러스트레이터로, 언젠가 이렇게 예쁜 책을 만들고 싶다는 꿈을 갖고 있었다 ● 그리고 내가 모네의 정원에 다녀온 지 2년이 지난 후, 우리 둘이서 만든 동화책 한 권이 세상에 나왔다 ● 물론 모네의 정원에 대한 것은 아니지만.

여행이 끝났어요. 즐거움이 남아 있다는 건 다행스러운 일입니다. 이제는 내가 파리와 모네의 정원에 갔다 왔다는 사실을 모르는 사람이 없답니다. 하지만 친구들이 "에펠탑은 어땠니?" 하고 물으면, 나는 이렇게 대답한답니다. "에펠탑은 볼 시간이 없었어. 그보다 훨씬 중요한 것들을 봐야 했거든."

—『리네아의 이야기 1 -모네의 정원에서』(크리스티나 비외르크 글, 레나 안데르손 그림, 김석희 옮김, 미래사, 2000) 중에서

Georges Seurat

조르주 쇠라 Georges Seurat, 1859~91, 프랑스

서로 대비가 되는 작은 색점들을 병치하여 빛의 움직임을 묘사한 그의 기법을 '점묘법' 이라고 한다. 그는 이 기법을 사용하여 대작들을 남겼는데, 질서정연하게 찍혀진 순수색의 작은 점들은 너무 작아서 작품을 감상할 때 거의 식별되지 않으며, 단지 화면 전체가 빛으로 아른거리는 효과를 만들어낸다. 프랑스 신인상파의 대표적인 화가다.

소풍

예전에는 봄이 언제 와서 언제 가버렸는지도 몰랐는데,
이즈음에는 봄의 공기가 눈물겹도록 아름답게 느껴져요.
내 이야기에 대해 누군가 이렇게 말했다.
그건 네가 나이가 들었기 때문이야.
그의 말 또한 아름답기도 하고 눈물겹기도 했다.

봄의 몽마르트르 생 뱅상 거리 | The street Saint-Vincent at Montmartre in spring | 캔버스에 유채 | 1883~84

나는 그를 제대로 불러본 적이 없었던 것 같다. 그는 나의 선배였고, 나는 대부분의 남자 선배들을 '오빠' 라고 불렀지만, 그를 마주하면 '오빠' 라는 말이 쉽게 나오질 않았다. 그는 나보다 일곱 살이 많았고, 내가 대학에 입학했을 때 대학원을 다니고 있었다. 그는 8년 만에 학부를 졸업하고, 졸업한 지 2년 후에 대학원에 진학했기 때문에, 나는 그와 같은 대학을, 같은 시절에 다닐 수 있었던 것이다.

그와 나 사이에는 여러 가지 인연의 끈이 얽혀 있었다. 사소하다면 사소한 것이지만, 어찌되었거나 우리는 평생에 단 한 번이라도 만나게 되어 있었던 사람들이었다. 우리는 같은 대학, 같은 과, 같은 동아리에 속해 있었다. 게다가 그는, 고등학교 시절 나와 비교적 가깝게 지내던 선배 언니와 결혼을 했다.

하지만 나는 늘 그가 어려웠다. 그와 영원한 이별을 하게 될 때까지, 줄곧 그러했다. 나는 세상에 별로 어려워하는 사람이 없기 때문에, 스스로도 그러한 나 자신을 잘 이해할 수가 없었다.

지금 생각해보면, 나는 그가 지니고 있던 '기氣'를 두려워했던 것 같다. 아니 그건 두려움이라기보다 일종의 경외감이었다. 그의 정신은 순수한 에너지의 결정체를 지니고 있었다. 그것은 하얗고 뜨겁고 단단하여 내가 근접할 수 없는 것처럼 여겨졌다. 그의 눈빛은, 내가 지니고 있는 가식과 거짓의 껍질을 벗어버리라고 늘 충고하고 있었다. 하지만 한낱 스무 살 나이의 어린아이에게 있어, 그것은 너무나 벅찬 숙제였다. 나는 알맹이가 제대로 채워져 있지 않은 꼬마에 불과했고, 그것을 들키지 않기 위해 더 많은 껍질을 필요로 하고 있었다.

그의 시들 역시 내게는 힘겹게 느껴졌다. "정갈하고 투명한 겨울 아침의 눈빛으로 삶의 비밀을 꿰뚫는 그의 시는, 이 구질구질하고 냄새나는 세상에 대한 구토이다. 그러나 구토의 끝에서 그는 눈물을 닦고 조용히 뇐다. '너를 사랑한다'고. 그리하여 성원근의 시의 아름다움은 그 유언과도 같은 과거형의 고백에 있다"라고 누군가는 이야기했다. 투명한 눈빛도 구질구질한 세상에 대한 분노도 없이 안이하게 세상을 살아가던 내가, '너를 사랑한다'는 그의 절실한 고백을 이해할 리 없었다.

지상에서 그를 마지막 만났을 때가 생각난다. 그는 악성골육종이라는 병으로 병원에서 투병생활을 하고 있었다. 내가 병원을 찾아갔을 때, 그는 항암제를 맞고 있었다. 그건 말로 표현할 수 없는 고통이라고, 주위 사람들이 말해주었다. 하지만 나를 보자, 그는 미소를 지었다. "이제 곧 따뜻해지면, 우리 소풍 가자. 좋은 데 가서 꽃구경하고 맛있는 것도 먹자"라고 그는 말했다. 나는 그의 눈을 응시하지도 못한 채, "네, 오빠……"라고만 대답했다. 더이상의 할 말은 생각나지 않았다.

그해 겨울이 지나고 봄이 막 오기 시작할 즈음, 그는 세상을 떠났다.

지켜지지 않은 약속은 피기 전에 시들어버린 꽃처럼 쓸쓸하다. 그리고 나와 약속을 한 그는 이미 이 세상에 없다. 놓쳐버린 풍선이 하늘 끝으로 사라진 후에도 하염없이 하늘을 올려다보고 있는 아이처럼 나는 막연하다.

쇠라의 이 그림을 보았을 때, 나는 우리가 끝내 가지 못했던 그 소풍을 생각했다. 막 피어나는 봄을 어루만지고 있는 듯한 그의 손길이 떠올랐다. 거짓의 껍질을 거부하고 투명한 삶을 살았던 그는, 처음부터 이곳에 어울리지 않았던 사람이었는지도 모른다.

쇠라는 햇빛에 반사된 색채를 분할하여 작은 색점으로 화면을 구성하는 새로운 기법을 만들어낸 화가이다. 그리하여 그는 후

세에 '신인상주의 운동의 선구자' 라고 불리게 된다. 쇠라의 생명을 빼앗아 간 것은 전염성 후두염이었다. 그는 서른두 해를 살았고, 그 중 십여 년 동안 그림을 그렸으며, 봄이 막 당도할 무렵인 3월 29일에 세상을 떠났다.

죽음에 대해 세상의 모든 절망을 바칠 이유는 없다고 생각한다. 죽음이란 나쁘기만 한 것은 아니라고 믿으니까. 그러나 아픈 후회는 지상에 남아 있는 자의 몫이다. 나는 왜 한 번이라도 살갑게 그를 원근 오빠, 하고 부르지 못했을까. 우리는 왜 그 많은 봄들을 그냥 흘려보내버렸을까. 좋은 데 가서 꽃구경하고 맛있는 걸 먹는 일, 그게 왜 그렇게 어려웠을까.

그해 겨울, 봄은 너무 늦게 왔다. 아니, 그는 너무 빨리 떠나 버렸다.

에덴 콘서트 | Eden concert | 종이에 콘테, 크레용 | 1887

언젠가 그를 다시 만나게 된다면 묻고 싶은 것이 있다.

낮아지고 깊어진 그의 영혼은 바다로 흘러가 평안했는지.

그래도 이 세계는 아름답지 않았는지.

금방이라도 부서질 듯 흔들리는 것이 우리의 실체라 해도.

병자 | The invalid | 나무에 유채 | 1878~81

우리의 삶은 한순간의 명멸이다. 모든 인간은 삶 앞에서
나약한 존재가 된다. 나에게 한없이 강인한 모습을 보여주었던
그 역시, 삶과 외로운 투쟁을 해왔던 것이다.

밀짚모자를 쓰고 앉아 있는 소년 | Seated boy with straw hat | 종이에 콘테와 크레용 | 1883~84

나는 한 번도 삶에서 휴식을 취하는 그의 모습을 본 적이 없다.
그는 언제나 형형한 눈빛을 하고 세상을 삼켜버릴 듯한 열정으로
타오르고 있었다. 나는 이제 그가 안식을 취하는 모습을 상상한다.
어린 소년의 마음으로 다시 돌아간 그가.

그랑드자트의 풍경 | Landscape at the Grande Jatte | 캔버스에 유채 | 1884

쇠라의 그림 중 가장 잘 알려진 것은 「그랑드자트 섬의 일요일 오후」일 것이다.
그는 휴식을 취하고 있는 평범한 사람들을 즐겨 그렸다.
그랑드자트를 소재로 한 여러 그림들 중에서 인물이 등장하지 않는,
부드러운 햇살에 잠겨 있는 이 풍경이 유난히 마음을 끌어당긴다.

little more

하지만 나는 알고 있다 ● 그가 먼 바다에서 기다리고 있다는 것을 알고 있다 ● 나는 더욱 넓어지고 더욱 깊어진 이 지상에서, 그저 껍질을 벗고 피어나면 되는 것이다 ● 내가 지면, 먼 바다로 흘러들어가 그를 다시 만날 것이다 ● 보지는 못했지만, 그 따뜻한 바다에는 수많은 꽃들이 피어 있을 것이다.

하류에서

너의 아름다움을 찾아주기 위해서

내가 더 낮아지고

더러워지는 거다.

너의 깊은 슬픔 배 띄워주려고

더 넓어지고 깊어질 뿐이다.

그렇지만 너는 연꽃

나는 뻘,

이렇게 흘러흘러

바다에서나 함께 될 수밖에 없는가.

찬란히 피어나거라.

네가 지면

바다가 거두어갈 것이다.

기다리겠다.

— 성원근 유고시집, 『오 희디흰 눈속 같은 세상』(창작과 비평사, 1996) 중에서

Marc Chagall

마르크 샤갈 Marc Chagall, 1887~1985, 프랑스

러시아의 화가 · 판화제작자 · 디자이너. 개인적 경험에서 나온 이미지를 상징적이고 미학적인 형식 요소들과 결합시킨 작품들을 많이 그렸다. 회화 이론보다는 내면의 시적 호소력을 중시했다. 다양한 표현 수단을 사용한 그의 작품들 가운데는 연극과 발레 무대장치, 성서를 삽화로 그린 동판화, 스테인드 글라스 창문 등이 있다.

달에게 날아간 화가

달에게 날아간 화가 | The painter to the moon | 종이에 과슈와 수채 | 1917

이 그림 속의 블루에는 우울함이라는 요소가 없다.
태초의, 어머니의 자궁 같은 바다의 블루이고, 때묻지 않은 하늘의 블루이다.
보고 있는 것만으로 행복해진다.
그 속으로 녹아들어갈 수 있다면 더할나위없겠지만.

그녀의 주위에 | Around her | 캔버스에 유채 | 1945

가장 좋아하는 화가가 누구냐는 질문을 받으면, 나는 망설임 없이 샤갈이라고 대답한다. 내 대답은 대체로 질문을 한 사람을 만족시킨다. 그들은 그럴 줄 알았다는 듯이 고개를 끄덕이고는, 마음속으로 '아, 그 동화적인 분위기!' 라고 생각한다. 물론 나는 샤갈의 동화적이고 몽환적이고 환상적인 분위기를 좋아한다. 그러나 내가 샤갈을 좋아하는 진짜 이유는 조금 다른 것이다. 나는 '샤갈의 색채' 를 좋아한다.

샤갈의 그린, 샤갈의 블루, 샤갈의 오렌지, 샤갈의 옐로우, 샤갈의 화이트, 샤갈의 레드……. 샤갈이라고 해서 특별히 다른 물감을 사용한 것은 아닐 텐데, 어째서 그의 색채 속에는 그토록 풍성하면서도 순수한 색들이 녹아 있는지 모르겠다. 아름다운 그린 빛 마을 위를 날고 있는 연인(「도시 위에서Au-dessus de la Ville」)이나 블루와 화이트의 천사(「환영The apparitition」)를 보고 있노라면, 나 자신이 그린이나 블루가 되어 그림 속으로 녹아들어가고 싶다는 말도 안 되는 욕망을 갖게 된다.

샤갈은 1887년, 러시아의 비테프스크에서 아홉 형제 중 맏이로 태어났다. 하지만 그가 세상을 떠난 곳은 프랑스였다. 스물세 살에 조국을 떠나 파리, 베를린, 뉴욕을 돌아다니다가 방스에 정착한 것은 1948년이었다. 그는 비테프스크에 대하여 "나의 유일한 고향은 내 영혼 속에 있는 고향"이라고 말했다. 그는 연인과 꽃과 마을, 서커스와 동물을 즐겨 그렸으며, 1985년, 아흔여덟의 나이로 세상을 떠났다.

"내가 천사의 날개를 그릴 때, 그것은 날개인 동시에 불꽃이며 생각이며 또한 욕망이다. 형상 자체에 대한 숭배는 사라져야 한다. 나를 개별적인 상징들로서가 아니라, 형태와 색채, 그리고 세계에 대한 상상으로 판단하라. 하나의 상징은 출발점이 아니라 귀착점이어야 한다"라고 샤갈은 말했다. 그렇다. 상징은 그 자체로 완결된 것이다. 상징의 의미 따위는 필요 없다. 적어도 내게는 그렇다. 나는 다만 샤갈의 색채에 즐겨 마음을 뺏길 뿐이다. 그의 색채를 통하여 은밀한 나의 세계를 만날 뿐이다.

고등학교 시절, 그림을 그리던 그녀는 내 친구였다. 나는 이 세상에서 가장 그림을 잘 그리는 사람이 그 아이라고 믿었다. 그녀와 친구가 되는 데에는 별다른 시간이나 노력이 필요하지 않았다. 어느 날 정신을 차려보니 우리는 서로에게 소중한 존재가 되어 있었는데, 만남처럼 헤어짐도 갑자기 찾아왔다. 누구의 잘못도 아니었고, 그냥 그렇게 되도록 되어 있었던 것이다. 그 아이가 그렸던 그림들 중에서 내 기억에 남아 있는 것은 단 하나. 뚜렷한 형체가 없는 추상화였는데, 거기에 하나의 색채가 있었다. 그건 '샤갈의 그린'이었다. 한 번도 이야기한 적은 없지만, 우리는 샤갈을 통해 서로에게 이끌렸던 것 같다.

대학시절, 부족한 용돈을 털어 샤갈의 화집을 산 적이 있다. 그것은 한때, 역시 부족한 용돈을 털어 구입했던 파블로 카잘스의 레코드 『무반주 첼로 조곡』과 함께, 나의 소중한 보물로 존재했다. 일주일이나 보름, 궁핍한 생활을 할 것을 각오하고 화집이나 레코드를 사던 시절이었다. 생활의 일부분과 바꾼 것들이기 때문에 그들은 보물로 존재할 수 있었다. 샤갈을 사랑하던, 그렇게 아름다운 색채를 그리던 내 친구는 지금 작은 미술학원에서 아이들에게 그림을 가르치고 있으며, 우리는 오랫동안 만나지 못했다. 그리고 샤갈의 화집은 어느 구석에 박혀 있는지 찾을 수도 없다.

그렇다 해도, 나는 여전히 샤갈에 감탄한다. 샤갈이 그리울 때면 나는 화집을 들추는 대신, 눈을 감고 그의 그린과 블루를 기억해낸다. 샤갈의 마을로 날아가는 데는, 그것으로 충분하다.

그리고 여기, 달을 향해 날아가는 화가가 있다. 꽃무늬의 커튼이 있고, 그림 같은 마을이 있고, 그 위로 월계관을 쓴 아름다운 소년이 둥실 날아오르고 있다. 오른손은 수줍은 듯 그의 뺨을 스치고 있고 왼손은 붓과 팔레트를 들고 있다. 그는 그림을 그리다 갑자기, 둥실, 날아올라버린 듯하다. 깊고 아늑한 블루에 싸여 있는 그의 눈은 아주 먼 곳을 보고 있다. 이 작품「달에게 날아간 화가The Painter to the moon」는, 그의 나이 서른 살 때 그려진 것이다.

'달은 무엇을 상징하는가' 라는 질문은 하지 말자. 나는 샤갈의 색채 속에서, 샤갈의 달을 본다. 그것으로 충분하다. 조금 더 욕심을 내어, 나는 과연 무엇으로 달에 이를 수 있을까 하는 의문을 가져보기도 한다. 나를 달에 이를 수 있게 하는 것은, 아마 붓과 팔레트는 아닐 것이다. 이 세계를 떠나기 전까지, 그것을 찾을 수 있을까.

생일 | The birthday | 캔버스에 유채 | 1915

이 세상으로 와, 나의 연인이 되어주어 기뻐요.

사랑에 빠진 샤갈의 연인들은 지상에 발을 딛지 않는다.

그들에게는 육체의 무게가 없기 때문이다.

환영 | The apparition | 캔버스에 유채 | 1917~18

블루와 화이트의 천사를 보노라면 나 자신이 블루나 화이트가 되어 그림 속으로 녹아들어가고 싶다는 말도 안 되는 욕망을 갖게 된다.

little more 1921년, 그의 나이 서른네 살이 되었을 때 샤갈은 자서전을 쓰기 시작했다 ● 러시아 혁명 이후 망명을 결심한 그는, 러시아어로 자서전을 쓰겠다고 생각한 것이다 ● 그의 어린 시절과 가족들, 그의 고향 비테프스크, 첫번째 아내 벨라와의 추억들, 파리에서의 생활, 그리고 전쟁과 러시아 혁명에 대한 이야기들이 이 책에 씌어 있다 ● 샤갈은 이 책을 부모님과 아내, 그리고 고향 비테프스크에 바친다 ● 우리나라에서는 『샤갈, 내 젊음의 자서전』(마르크 샤갈 지음, 김동림 옮김, 책세상, 1989년)이라는 제목으로 출간되었다.

강이 멀어져가는 것이 보입니다. 다리는 더 멀리 있고, 아주 가까이

에는 영원의 울타리가, 대지가, 묘지가 있습니다. 여기 내 영혼이 있

습니다. 이 근처에서 나를 찾으세요. 여기에 내가, 나의 그림들이, 나

의 탄생이 있습니다. 슬픔, 슬픔이 있습니다.

—『샤갈, 내 젊음의 자서전』의 「나의 삶」 중에서

Carel Fabritius

카렐 파브리티위스 Carel Fabritius, 1622~54, 네덜란드

초상화와 풍속화 및 문학적 주제를 다룬 그림으로 유명하며, 빛과 공간에 대한 그의 관심은 17세기 중반 델프트 미술에 많은 영향을 미쳤다. '파브리티위스' 라는 성은 그들의 원래 직업인 목공이라는 뜻의 라틴어 'faber' 에서 따온 것이다. 델프트의 화약고 폭발로 사망했으며, 그 사고로 많은 작품이 함께 파괴된 것으로 알려져 있다.

어느 새의 초상화를 그리려면

그 날개에 상처 하나 입히지 않고 온전히 너를 사랑할 수 있을까.
그럴 수 있는 날이 올까.

황금방울새 | The goldfinch | 패널에 유채 | 1654

이 세상에는 세 가지 종류의 새가 있다. 날아가는 새, 날지 않는 새, 그리고 금방이라도 날아갈 듯한 새.

날아가는 새 또는 날지 않는 새를 볼 때면 그다지 특별한 느낌이 들지 않지만, 금방이라도 날아갈 듯한 새를 보면 어쩐지 가슴이 두근두근해지면서 조금 쓸쓸한 기분이 된다. 두근두근하면서 쓸쓸한 기분이라니, 이 세상에서 그렇게 황홀한 느낌을 지니고 있는 것은 그리 많지 않다.

어쨌든 그런 새야말로 진짜 새라는 생각이 든다. 어떤 선을 긋고 이쪽은 완전, 저쪽은 불완전이라고 한다면, 새는 그 선 위에 위태롭게 앉아 있는 것이다. 우리는 가끔 그런 위태로움에 매혹당한다.

좋아하는 시인 중에 자크 프레베르가 있다. 그의 시에서는 풀의 향기가 난다. 풀처럼 간결하고 꾸밈이 없으며 풀처럼 부드럽고 자연스럽다. 이건 이런 의미일까, 저건 저런 의미일까 생각할 필요도 없이, 일직선으로 다가오는 시다. 그러면서도 결코 날카롭거나 무겁지 않다. 한 방향으로 나풀거리며 날아오는 깃털 같다고 할까.

프레베르의 「어느 새의 초상화를 그리려면」이라는 시는 그 중에서도 내게 아주 특별하다. 나는 지금도 그 시만큼, 새 또는 사랑에 대해 제대로 이야기한 시는 드물다고 생각한다.

사랑이란 무엇인가, 또는 사랑이란 과연 존재하는가, 라는 질문을 가끔 받는다. 나로서도 그럴 듯한 이야기를 해주고 싶지만, 사랑의 정체라니, 도무지 답이 나오질 않는다. 그렇다고 해서 모릅니다, 라고 이야기한다면, 그걸 알고 싶어 몸부림쳤던 고통의 시간들이 너무 억울하다.

그럴 때 나는 대답 대신 프레베르의 시를 이야기한다. 거기에는 우리가 어떤 대상을 어떻게 사랑해야 하는지에 대한 답이 들어 있다. '사랑의 정체'까지는 모른다고 해도, 사랑의 방법을 아는 것은 대단한 일이다. 물론 나 자신, 아직도 그런 경지에 이르지 못했지만.

파브리티위스의 「황금방울새」라는 그림을 보자마자, 프레베르의 시 「어느 새의 초상화를 그리려면」이 떠올랐다. 이 화가는 프레베르가 이야기한 그대로 새의 초상화를 그렸다. 아니, 화가는 프레베르보다 먼저 태어나 살다 죽었으니, 어쩌면 프레베르가 이 그림을 보고 그런 시를 썼는지도 모르겠다. 뭐 그런 건 중요한 것이 아니다. 어쨌든 이 두 사람 사이에는 시간과 공간을 초월한 어떤 끈이 있다. 그리고 지금 여기에서, 나는 또다른 한쪽 끈을 잡고 그들의 시와 그림을 보고 있는 것이다.

파브리티위스는 렘브란트의 뛰어난 제자들 중 한 사람이었다. 열아홉 살 때 암스테르담에 있는 렘브란트의 스튜디오로 들어가기 전까지, 목수 일을 하기도 했다. 그는 3년 동안 렘브란트 아래에 있었으며, 어둠 속에서 빛을 찾아내는 렘브란트의 화풍에 많은 영향을 받았다. 그러나 그는 다른 제자들과 조금 달랐다. 렘브란트의 화풍을 기본으로 하고는 있지만, 그는 보다 다양한 빛의 강도를 이용하여 가장 어두운 것에서 가장 밝은 것에 이르는 세밀한 빛들을 표현해냈다.

「황금방울새」라는 제목의 그림은 전체적으로 밝은 톤이지만, 그 밝음 속에서 금빛은 더욱 강조된다. 그는 색채의 미묘한 특징을 이용하여 빛의 변화를 그려낸, 아주 독창적인 화가였다.

렘브란트의 스튜디오를 떠난 그는 델프트에 정착했다. 그러나 그는 서른두 살 때 세상을 떠난다. 그것은 비극적인 죽음이었다. 델프트에 있는 화약제조소에서 일어난 폭발사고로 목숨을 잃은 것이다. 이 사고로 인해 그는 물론이고, 그의 작품들도 대부분 세상에서 사라졌다. 남아 있는 작품은 겨우 열 점 정도라고 한다. 그러나 지금도 많은 화가들은 그가 남기고 간 숙제, 즉 '빛을 어떻게 이용할 것인가'라는 개념에 대해 계속 탐구하고 있다.

금방이라도 움직일 듯, 금방이라도 울음을 터뜨릴 듯, 금방이라도 노래를 부를 듯, 금방이라도 날아갈 듯한 이 작은 새. 나는 손을 뻗어 만져보려다 흠칫 놀란 채, 오히려 한 발자국 뒤로 물러서서 새를 본다.

서둘러 잡으려다 놓쳐버린 사랑들이 내게 있다. 그리고 나는 두근두근하면서도 쓸쓸한 마음으로 날아갈 듯한 새를, 날아갈 듯한 사랑을 지켜보는 법을 배우고 있다. 또다시 실패하지 않기 위해.

어떤 선을 긋고 이쪽은 기쁨, 저쪽은 슬픔이라고 한다면, 우리의 사랑은 항상 그 선 위에 위태롭게 걸려 있는 것이다. 사랑이 우리를 끝없이 유혹하는 것은 어쩌면 그런 속성 때문일지도 모른다.

야경꾼 | The watchman | 캔버스에 유채 | 1654

깊고 무거운 색채 속에 그림자처럼 스며들어 있는 사람.
그의 색채는 간결하지만 결코 단순하지 않다.
피브리티위스의 빛 속에는 분명한 무게가 존재한다.

little more

어느 새의 초상화를 그리려면 —엘자 앙리케즈에게

우선 문이 열린

새장을 하나 그리세요

그 다음

무언가 예쁜 것을

무언가 단순한 것을

무언가 쓸 만한 것을 그리세요

새를 위해

그리고 나서 그 그림을 나무에 걸어놓으세요

정원에 있는

또는 산 속에 있는

어느 나무 뒤에 숨겨놓으세요

아무 말도 하지 말고

꼼짝도 하지 말고……

때로 새가 빨리 오기도 하지만

마음을 먹기까지에는

오랜 세월이 걸리기도 하죠

용기를 잃지 마세요

기다리세요

그래야 한다면 몇 년이라도 기다려야 해요

새가 빨리 오고 늦게 오는 건

그림이 잘 되는 것과는 아무 상관이 없답니다

새가 날아올 때엔

혹 새가 날아온다면

가장 깊은 침묵을 지켜야 해요

새가 새장 안에 들어가기를 기다리세요

그리고 새가 들어갔을 때

붓으로 살며시 그 문을 닫으세요

그 다음

모든 창살을 하나씩 지우세요

새의 깃털 한끝도 다치지 않게 말이죠

그리고 나서 가장 아름다운 나뭇가지를 골라

나무의 모습을 그리세요

새를 위해

푸른 잎새와 싱그러운 바람과

햇빛의 반짝이는 금빛 부스러기까지도 그리세요

그리고 여름날 뜨거운 풀숲 벌레들의 소리를

그리세요

이제 새가 마음먹고 노래하기를 기다리세요

혹 새가 노래하지 않는다면

그건 나쁜 징조예요

그 그림이 잘못되었다는 징조예요

하지만 새가 노래한다면 그건 좋은 징조예요

그러면 당신은 살며시 살며시

새의 깃털 하나를 뽑으세요

그리고 그림 한구석에 당신의 이름을 쓰세요

자크 프레베르

여름

삶은 거칠고 시는 메마르다고
희망은 모래알처럼 버석거린다고
그 물가에 닿을 수가 없다고
너는 모든 것을 버린 자의 미소를 지으며
긴 그림자를 끌고 천천히 멀어진다
상심한 해는 무겁게 내려앉고
바람의 길들은 모두 막혀
나의 노래는 어디에도 이르지 못하는데

그래도 여름은 한철
먼 세월이 흐른 후에 말할 수 있을까
기다림은 내게 고통만은 아니었다고

사진© 김원

Jean-Baptiste-Camille Corot

장 밥티스트 카미유 코로 Jean-Baptiste-Camille Corot, 1796~1875, 프랑스

은회색의 부드러운 색채를 사용하여 우아한 정경을 묘사했으며 단순한 풍경에도 시와 음악을 부여할 수 있음을 보여주었다. 자연을 감싸는 대기와 광선의 효과에도 민감하여, 빛의 처리에 있어서는 훗날 인상파 화가의 선구가 되었다.

추억은 초여름처럼 투명하다

은빛 톤과 부드러운 터치가 잘 살아난 코로의
풍경화들은 많은 사람들의 사랑을 받았다.
그것은 꿈결 같은 기억의 풍경이고,
손가락 사이로 빠져나가버린 추억들이다.

모르트퐁텐의 추억 | Recollection of Mortefontaine |
캔버스에 유채 | 1864

창 밖에서, 아이들 노는 소리가 하루종일 들린다. 저희들끼리 가위바위보로 무언가를 정하기도 하고, 깔깔거리며 웃기도 하고, 어느 하나가 울음을 터뜨리기도 하고, 간혹 작은 말다툼을 하기도 한다. 한 아이가 혼자 이야기하는 법은 거의 없고, 동시에 두 명 이상의 아이들이 귀여운 목소리를 높이거나, 혹은 아주 잠깐 동시에 조용해진다.

그 소리에 귀를 기울이고 있자니 세상은 이토록 평화롭게 흘러가는 것이구나, 하는 생각이 든다. 겨울이 쓸쓸하고 적막한 이유는, 골목길에서 노는 아이들의 소리를 들을 수 없기 때문인지도 모른다. 하루하루가 다르게 기온은 높아지고 낮은 점점 길어진다. 초여름이다.

골목길마다 장미들이 다투어 피어난다. 꽃의 여왕이라는 이름에 어울리는 탐스럽고 우아한 장미가 아니라, 무더기로 주렁주렁 피어나는 들장미들이다. 그들이 작은 봉오리를 열어 향기를 뿜어내면, 대기는 열대의 바다처럼 나른한 온기에 휩싸인다. 우리는 더이상 지나가버린 봄을 아쉬워하지 않는다. 누군가에 대한 그리움으로 인해 고통스러웠던 겨울밤의 기억도 사라졌다. 계절은 우리가 추억 속에 잠겨 있도록 내버려두지 않는다. 어서 새로운 추억을 만들라고 재촉한다.

헤어진 연인들은 이미 다른 사랑을 만났다. 그들은 바다에서 일출을 보고 산의 정상에 올라 노을을 맞이할 계획을 세우느라 부산하다. 젊은 아버지는 어린 아들을 데리고 동네 공터로 나가 축구를 하고, 어머니는 일요일 점심 메뉴로 시원한 메밀국수를 준비한다. 친구들과 함께 쇼핑을 나간 이들은 튼튼하고 따뜻한 옷 대신 재미있고 독특한 그림이 그려진 티셔츠를 고른다. 긴 머리를 짧게 잘라버린 사람들은 반바지에 샌들 차림을 하고 느릿느릿 걷는다. 초여름의 뜨거운 햇살을 피해 창 넓은 카페로 들어간 이들은 시원한 아이스티 안에 들어 있는 얼음을 까드득, 깨문다.

온 세상은 에너지로 충만하다. 그리고 유월의 나무들, 말랑말랑해진 흙으로부터 수분과 양분을 마음껏 빨아들인 그들은 풍성한 잎과 노곤한 꽃들을 피워낸다. 프랑스의 화가 코로의 「빌다브레」는, 아침이슬이 내린 초여름의 풍경을 연상하게 한다. 여기에는 초여름이라고 할 수밖에 없는 싱싱한 반짝임이 배어 있다.

「빌다브레」의 나무는 흐릿하고 로맨틱한 은빛을 뿜어내고 있다. 우리가 추억이라는 것을 형상화시킬 수 있다면, 그건 아마도 이 나무를 닮아 있을 것이다. 그 속에는 수십, 수백 년의 시간들이 응결되어 있다. 초여름의 반짝이는 햇살은 응결된 시간들을 풀어헤쳐, 꽃가루 같은 기억들을 흩날리게 한다. 그리하여 새로운 추억을 만드는 우리는, 언젠가 잃어버린 사랑을 떠올리며 연인 몰래 한숨을 쉬기도 한다. 옛날 일 같은 건 모두 잊었다고 생각하지만, 지금 이 순간은 충분히 행복하다고 생각하지만, 추억이란 켜켜이 쌓여가는 나이테 같은 것, 사랑이란 끝없이 되풀이되는 하나의 노래와 같은 것, 우리의 심장은 그 모든 것을 아주 잘 기억하고 있다.

그러나 초여름은 우리가 뒷걸음질치는 것을 허용하지 않는다. 어제와 오늘은 명백하게 다른 날이라는 것을 우리에게 가르친다. 반짝이는 날들 속에서, 아쉬움과 그리움은 점점 투명해진다. 모든 것을 통과시킬 만큼 투명한 투명함이다.

투명한 초여름의 나무에 망울망울 추억들이 맺힌다. 투명한 초여름의 강물 위로 소근소근 추억들이 떠간다. 이 시기에 만들어진 추억들은 영원히 투명하다. 아이들의 노는 소리만큼 맑고 청명하다. 어둡고 깊은 밤은 천천히 왔다가 재빨리 사라진다.

나는 유월의 나무처럼, 푸른 추억을 마음껏 빨아들인다.

빌다브레 | Ville d' Avray | 캔버스에 유채 | 1867~70

빌다브레는 파리 근교에 있는 지방으로,

코로의 아버지가 이곳에 있는 별장을 구입했다고 한다.

코로는 이곳에서 오랫동안 머물렀으며,

세상을 떠날 때까지 3천여 점의 그림을 그렸다.

낭트의 다리 | The bridge at Nantes | 캔버스에 유채 | 1827

고요한, 그리고 무거운 톤의 이 풍경화는 코로의 초기 작품들 중 하나이다.
코로는 풍경화, 성경과 역사를 주제로 한 그림들, 초상화와 인물화 등
다양한 종류의 그림을 그렸는데, 그의 그림이 팔리기 시작한 것은
1845년 이후부터였다.

카스텔간돌포의 풍경 | Landscape at Castel Gandolfo | 캔버스에 유채 | 1865

코로는 따뜻한 계절 동안 유럽을 여행하며
스케치와 작은 유화들을 그렸고, 겨울이면 스튜디오에서 작업을 했다.
그래서 그의 풍경화들은 한결같이 따뜻한 온기를 품고 있다.

little more 여기, 푸른 풀밭이 있다 ● 하늘에는 구름이 흐르고, 풀밭에는 소들이 걸어다니며 풀들을 뜯어먹고 있다 ● 이 풀밭에 작은 싹이 몇 개 돋아오른다 ● 어떤 것들은 소들에게 먹히기도 하고, 어떤 것들은 저 혼자 시들어버리기도 하고, 어떤 것들은 제멋대로 자라나기도 한다 ● 몇 해가 흐르고, 작은 싹들은 어린 나무가 된다 ● 그들은 가뭄이나 홍수와 싸워간다 ● 살아남은 한두 그루의 나무에서 가지가 뻗고 그 가지에 잎들이 매달린다 ● 소들은 이 새로운 존재를 알아채고, 여린 나무를 갉아먹기 시작한다 ● 하지만 나무는 꿋꿋이 견뎌낸다 ● 제법 자란 가지 하나가 갉아 먹히면, 그보다 짧은 두 개의 가지를 내민다 ● 위로 자라날 수가 없으니 옆으로 퍼지는 방법을 택한다 ● 움푹하게 패인 땅이나 바위틈은 그들의 은신처가 된다 ● 나무들이 촘촘한 가지들을 뻗어 빽빽한 바리케이트를 칠 때쯤부터, 사람들은 이들을 눈여겨보기 시작한다 ● 가지를 꺾어보기도 하고, 여린 뿌리를 파헤쳐보기도 하고, 그들의 몸을 발로 툭툭 차보기도 한다

나무들은 마침내 스스로 가시를 만든다 • 가시를 지닌 나무들은 그들만의 아름답고 독특한 향을 내뿜기 시작한다 • 소들은 이들의 향기롭고 달콤한 맛을 탐하여 가지들을 갉아먹는다 • 그래서 나무들은 점점 더 피라미드 모양을 이룬다 • 밤이 되면 이 촘촘한 은신처 속으로 많은 새들이 숨어든다 • 잔가지들이 부러져나간 자리에 새로운 가지들이 생기고, 한 그루의 나무 옆에 또다른 나무가 자라나면서, 여러 해가 흐른다 • 마침내 이들은 하나의 집합체가 된다 • 이제 어떤 소들도 가장 중심에 있는 나무의 가지를 갉아먹을 수 없게 되었을 때, 가운데 있던 나무 한 그루가 높은 가지를 뻗어 올려 하나의 열매를 맺는다 • 소들은 더이상 나무들에게 해를 끼칠 수 없게 된다 • 그들이 가지를 갉아먹는다 해도, 나무의 생명에는 지장이 없다 • 소들이 그들의 열매를 따먹으면, 열매 속의 씨앗은 또다른 땅에 뿌려진다 • 이제 소들은 나무의 그늘 아래에서 느긋한 시간을 보낸다 • 이 훌륭한 나무들은 야생에서 자라난 사과나무들이다 • 그래서 나는 사과나무를 가장 좋아한다

Childe Hassam

차일드 해섬 Childe Hassam, 1859~1935, 미국

미국 미술에 프랑스 인상주의를 도입한 대표적 인물이다. 보스턴과 파리에서 공부했는데 파리에서 인상파 화가들의 영향을 받아 원색을 사용한 화려한 색채의 그림을 그리게 되었다. 그의 작품들은 산뜻하고 밝은 분위기가 특징이며 뉴욕의 생활을 즐겨 다루었다.

비밀의 화원

롱 아일랜드 이스트 햄프턴에 있는 낡은 집과 정원 | Old house and garden at East Hampton, Long Island | 캔버스에 유채 | 1898

미국의 인상파 화가이자
동판화가이기도 한 해섬은, 빛이 살아
움직이는 듯한 터치로 도시와 시골의
풍경화를 그렸다. 이 오래된 집과 정원을
들여다보고 있자니 어릴 적 동화에서 본
'비밀의 화원' 이 그리워진다.

작고 낡은 오두막, 이집트 오솔길 | Little old cottage and Egypt lane | 캔버스에 유채

내가 아주 조그마한 아이였을 때, 그래서 세상이 아주 넓고 커다랗게 보였을 때, 나는 '비밀의 화원' 하나를 갖고 있었다.

그 화원은 외갓집 뒷마당에 있었다. 그곳에는 병아리 솜털같이 부드러운 잔디와, 하얀색과 보라색 도라지꽃들과, 빗자루같이 뻣뻣하고 핏방울처럼 새빨간 맨드라미가 있었다. 내 키보다 큰 해바라기와 쪼그리고 앉아야 손에 닿는 채송화. 내 손톱을 위해 희생당한 수많은 봉숭아꽃들. 아무리 일찍 일어나 눈을 비비며 뛰어나가 보아도 어느새 이슬을 머금고 활짝 피어 있는 나팔꽃. 텃밭에서 자라나던 키 큰 옥수수들, 텃밭의 한 모퉁이에 있던 아주 작은 둔덕. 그리고 그곳에 비밀의 화원이 있었다.

비밀의 화원은 돌담으로 둘러싸여 있었다. 돌담의 길이는 그리 길지 않아, 어린 내 발걸음으로도 열다섯 발자국 안쪽이었다.

돌담 끝에는 오래되어 녹이 슨 철문이 달려 있었는데, 철문이라기보다 촘촘하게 엮어져서 문의 모습을 띠고 있는 철사들의 집합체라는 표현이 정확하겠다. 솜씨 좋은 장인이 만든 것은 절대 아니었고, 누군가가 못 쓰는 철사들을 끌어다가 어디 한번, 하고 만들었는데 그것이 뜻밖에 문의 모양을 하게 되어 이곳에 달리게 된 것 같았다.

나는 철사들의 틈새에 눈을 들이대고, 안쪽의 정원을 살펴보곤 했다. 아무도 뭐라 하지 않는데도, 왠지 뒷목이 당기는 듯해서 오래도록 보고 있진 않았다. 내 기억에 의하면, 그곳은 이름 모를 나무와 풀들로 가득 차 있었다. 금방이라도 〈미녀와 야수〉에 나오는 무서운 야수가 소리치며 뛰어나올 것만 같은 마법의 화원. 그래서 나는 그곳이 '비밀의 화원' 이라고 단단히 믿어버렸다.

굳게 잠긴 녹슨 철문은 어린 나의 상상력을 온통 휘저어놓았다. 나는 그 문을 열고 그 속으로 들어가는 꿈을 꾸기도 했다. 그러나 꿈은 문을 열고 들어가는 그 순간에서 항상 끝이 나버렸다. 침을 꼴깍, 삼키며 문을 조심스럽게 여는 그 순간, 나는 목이 말라, 하면서 깨어나버리는 것이다.

그러나 그 시절 내내, 그토록 그곳에 들어가기를 열망하면서도, 나는 어른들에게 문을 열어달라고 한 번도 조르지 않았다. 나는 막연히 알고 있었다. 세상을 둘러싼 엄청난 비밀들, 그 비밀들의 음모, 언젠가는 일그러지고 깨어질 환상들, 내 힘으로 움직일 수 없는, 영원히 변하지 않는 어떤 것들과, 내 힘으로 잡을 수 없는 엄청난 변화들. 나는 '비밀의 화원'에 들어가고 싶었고 또한 들어가고 싶지 않았다. 들어간다는 것과 들어가지 않는다는 것, 선택은 두 가지 밖에 없었다. 그 중간은 없는 것이다.

제일 먼저 맨드라미가 사라지고, 채송화와 도라지꽃과 봉숭아꽃과 나팔꽃, 그리고 옥수수와 둔덕이 사라졌다. 부드러운 흙은 아스팔트로 덮이고 가을이면 똘망똘망한 돌감을 매달던 감나무도 없어졌다. 그리고 '비밀의 화원'의 문이 열렸다. 그 안쪽에 있었던 것은 더이상 비밀이 아닌, 우거진 잡초들로 무성한 버려진 땅이었다.

나는 비밀을 지켰다. 그런데 누군가가 그 비밀을 누설했다. 누군가가 비밀을 누설하는 순간, '비밀의 화원'의 마법은 깨어졌다.

그리고 나는 학교에 갈 나이가 되었다. 이제 더이상 철없는 아이가 아니었으므로, 아침마다 일어나 양치질을 하고, 깨끗한 옷으로 갈아입고, 공부하러 학교에 갔다. 모든 비밀이 깨어지는 세계로.

그때 나는 아주 조그마한 아이였고, 그래서 세상은 아주 넓고 커다랗게 보였다.

꽃들이 가득한 방 | The room of flowers | 캔버스에 유채 | 1894

메인 뉴햄프셔 해안에 있는 이 집의 주인은 실리아 텍스터라는 여인으로,
그녀는 이곳에 시인과 화가들을 자주 초대했다고 한다.

little more

사랑은 변하고

환상은 깨어지고

비밀은 폭로된다.

그것이 인생의 세 가지 절망이다.

Alfred Sisley

알프레드 시슬레 Alfred Sisley, 1839~99, 영국

부유한 영국계 부모는 그에게 상업을 가르칠 생각이었으나 시슬레는 취미로 그림을 시작했다. 1870년에 일어난 프랑스-프로이센 전쟁으로 가족이 재정 파탄에 빠지게 되나 그런 위기상황에서 화가가 되기로 결심한다. 그는 평생 가난과 끊임없이 투쟁했으나 죽은 직후 재능을 널리 인정받아 그림값이 크게 올랐다. 시슬레는 주로 풍경화를 그렸으며 부드럽게 조화를 이룬 색조가 특징적이다.

꿈의 기억

생 마르탱의 여름 | The chemin de by through woods at Roches-Coutaut : St. Martin' s summer | 캔버스에 유채 | 1880

첫눈에 반하게 되는 그림이 있고,
볼수록 정이 드는 그림이 있다.
시슬레의 그림은 첫눈에 반한 경우이다.
분명히 처음 본 것인데도, 그 속에는
그리움이라는 감정이 녹아 있었다.
나는 욱씬, 하는 마음의 통증을 느꼈던 것이다.

루앵 운하 | The Canal du Loing at Moret | 캔버스에 유채 | 1892

그것은 아주 갑자기 시작된다. 오후 2시 25분 17초까지는 그 전조조차 느낄 수 없다가, 오후 2시 25분 18초에 선명한 윤곽으로 나타난다. 서서히 시작되는 것이 아니라 불현듯 시작된다. 17초와 18초 사이의 시간이 갈라지고, 그 사이에서 어떤 존재가 빠져나와 솜방망이 같은 것으로 내 머리를 퉁, 하고 건드리는 건지도 모른다.

나는 멍해진 채 내가 놓여 있는 풍경과 주위를 둘러싼 사람들과 현재 벌어지고 있는 상황들을 마치 하늘에서 내려다보는 기분으로 보게 된다. 나는 어떤 말이나 행동을 하기도 하는데, 그 말과 행동의 주체는 내가 아닌 것처럼 느껴진다. 어떤 정해진 각본에 따라 내가 맡은 역을 하고 있는 것 같기도 하고, 누군가에 의해 인형처럼 조종당하는 것 같기도 하다. 하지만 그런 상태는 오래 지속되지 않는다. 길어야 5초 정도일까. 나는 조금 전의 기묘한 느낌을 내 안에서 다시 떠올려보려고 애를 쓰지만, 전혀 마음대로 되지 않는다.

우리는 그런 현상을 '데자뷔déja vu' 또는 '기시감旣視感'이라고 부른다. '실제로는 체험한 일이 없는 현재의 상황을, 전에 체험한 것처럼 똑똑히 느끼는 현상. 심할 경우에는 신경증이나 정신분열증의 한 증상으로 보기도 한다'고 사전에 나와 있다. 내가 알기로 이것을 한 번도 경험하지 않은 사람은 거의 없다. 어떤 사람들은 전생의 기억이라고도 하고, 또다른 사람들은 무의식 속에 남아 있는 과거의 기억이라고도 한다. 어쩌면 꿈의 기억일 수도 있다.

나는 늘 물에 대한 꿈을 꾼다. 깊고 넓고 맑은 물이다. 파도는 없으니 아마 강이라고 봐도 좋을 것이다. 나는 그 강가를 거닐거나, 강의 표정을 보거나, 강에서 수영을 한다. 따뜻하고 부드러운 물결 속을 유영하는 꿈은, 하늘을 나는 꿈만큼 나를 행복하게 한다. 하늘은 낮은 코발트 빛, 바람에 잔가지들이 흔들리고, 주위에는 아무도 없다. 그림으로 그려보라면…… 바로 여기, 알프레드 시슬레의 작품과 흡사하다. 흡사하다기보다 거의 같다고 말하는 것이 좋겠다.

「생 마르탱의 여름」을 처음 보았을 때 왠지 그리움 같은 것이 밀려왔다. 그 다음 순간, 약 1초 정도 '데자뷔' 또는 '기시감'을 느꼈다. 나는 각본에 써 있는 대사를 읊고 있었다. '언젠가 다시 한 번 가보고 싶어…….' 제 정신으로 돌아온 나는 나 자신이 내뱉은 대사 때문에 당황했다. 다시라니. 언제 가봤다고 다시 간단 말인가. 하지만 만약 그런 풍경을 만나게 된다면, 나는 '아, 다시 왔구나'라고 말하게 될 것이 분명하다.

시슬레는 영국 상인의 아들로 태어났다. 하지만 그가 태어난 곳은 프랑스이다. 가업을 잇기 위해 열여덟 살 때 런던으로 건너가 5년 정도 머무르는 동안 컨스터블과 터너의 풍경화를 만나게 되고, 그때부터 화가의 길을 걷기 시작했다. 파리로 돌아간 시슬레는 바질, 모네, 르누아르와 친하게 지내며 주로 야외에서 풍경화를 그렸다. 그는 인상파 중 순수한 풍경화가로 알려져 있으며, 파리 주변 지방의 물과 숲과 하늘을 섬세하고 신비로운 터치로 그려냈다.

그러나 그는 행복한 일생을 살다간 화가는 아니었다. 그의 나이 서른한 살 때 파산한 아버지의 죽음을 맞아야 했고, 그 이후부터 생계를 위해 그림을 팔아야 했다. 그는 인상주의의 길을 열었으나 세간의 관심을 끌던 모네, 르누아르 등과 비교되면서 인상주의의 아류, 모네의 아류 정도로 취급당했다. 환멸을 느낀 시슬레는 퐁텐블로 숲에 칩거하며 그림을 그렸고, 끝내 가난에서 벗어나지 못한 채 세상을 떠났다.

사실을 말하자면, 풍경화를 그리는 미술시간은 내게 무척 괴로운 것이었다. 가장 어려운 것은 나무를 그리는 일이었다. 나무의 모습은 너무나 자주 바뀌었다. 바람이 불 때마다, 햇살이 조금씩 각도를 바꿀 때마다, 그 모습이 달라졌다. 스케치북에서 고개를 들면 그건 이미 이전의 나무가 아니었다. 내가 그린 것은 내가 본 나무가 아니었다. 나는 실망했고 기가 죽었다. 풍경화 같은 건 필요 없다고 생각했다. 고개를 들어 풍경을 보거나 사진을 찍는 쪽이 차라리 낫지 않은가.

그러나 시슬레는 풍경의 한 순간을 그린다. 17초에서 18초로 넘어가는 그 사이, 시간의 틈을 비집고 들어가 빛과 바람이 만들어낸 한 순간의 풍경을 담아내는 것이다. 그리고 그것은 그리운 내 꿈속의 풍경이다. 언젠가 다시 돌아가고 싶은, 아득하고 은밀하여 더욱 그리운 강. 어쩌면 우리의 기억은 아주 조금씩 맞물려 있는 것인지도 모른다. 과거와 미래, 꿈과 현실을 뛰어넘는 기억이, 분명히 존재하는 것이다.

포트 마를리의 범람 | Flood at Port Marly | 캔버스에 유채 | 1876

범람한 강, 그러나 알 수 없는 평화가 여기 녹아 있다.

물 속 세계로 들어온 기분이다.

작은 마을의 오솔길 | Lane near a small town | 캔버스에 유채 | 1864~65

이상하다. 그의 그림들은 나에게 '애틋함' 이라는 요소로 작용한다.

이렇게 밝고 건강한 초록색인데도, 그 안에는

눈물겨운 첫사랑의 기억 같은 것이 깃들어 있다.

눈 온 장면 | Snow scene, Moret station | 파스텔 | 1888

비어 있지만 가득 차 있는 땅과 하늘. 중앙에는 대담한 나무.
어디론가 '향하고' 있는 사람. 외로워 보이지 않는 것은 이들 때문일까.

little more 어떤 화가가 어떤 풍경을 보고, '아, 저 풍경을 그려야 겠다' 고 생각했을 때, 그의 머릿속에는 어떤 하나의 이미지가 뚜렷하게 자리를 잡게 된다 • 그러나 그가 받은 그 인상을 화폭에 옮기기 시작하면서부터, 눈앞의 풍경은 변하기 시작하는 것이다 • 구름에 의한 햇살의 변화, 시간의 흐름에 따른 해의 움직임, 그 움직임에 의한 빛의 흐름과 그림자의 변화 • 그러니까 화가가 바라보고 있는 풍경은 시시각각으로 조금씩 변해가고 있는 것이다 • 즉, 화가는 움직이고 있는 풍경을 정지된 화면 속에 담아내려 하고 있는 셈이다 • 그러므로 풍경을 그리고 있는 화가들에게 있어서 가장 중요한 점은 '언제 붓을 놓느냐' 하는 것이다 • 어느 시점에서 그림 그리기를 멈추는가 하는 점 • 그 시기가 그 풍경화의 '흐름' 을 정지시키는 것이라 할 수 있다 • 바로 그 순간이 그 풍경화가 담고 있는 느낌이 완성되는 순간이기도 하다 • 아무리 빠른 속도로 그림을 그리는 화가라 할지라도, 대체로 한 점의 그림을 완성하기까지는 두세 시간 정도의 시간이 필요한 법이다(물론 30분 만에 그리는 화가도 있을 수 있고 5년에 걸쳐 두고두고 그리는 화가도 있을 수 있다) • 화가들이 몇 시간 동안 풍경과의 씨름 끝에 붙잡아놓은 그 '순간' 을 바라보며, 우리는 그 풍경이 지니고 있는 '순간' 의 느낌을 받는다 • 예를 들면, '17초와 18초 사이' 의 그런 느낌. 그러나 실제로 그 짧은 '순간' 속에는 화가가 그 풍경을 붙들고 있었던 훨씬 더 길고 긴 시간이 농축되어 있는 셈이다.

김원

Paul Klee

파울 클레 Paul Klee, 1879~1940, 스위스

사물의 본질적이고 정신적인 의미를 전하려고 한 천재적인 추상화가다. 독자적으로 활동했지만 미술사에 큰 영향을 미쳤다. 그의 작품들은 공상적인 상형문자와 자유로운 선묘로 이뤄져 때때로 아동미술을 연상하게 한다.

밤의 회색으로부터 한 번 나타나다

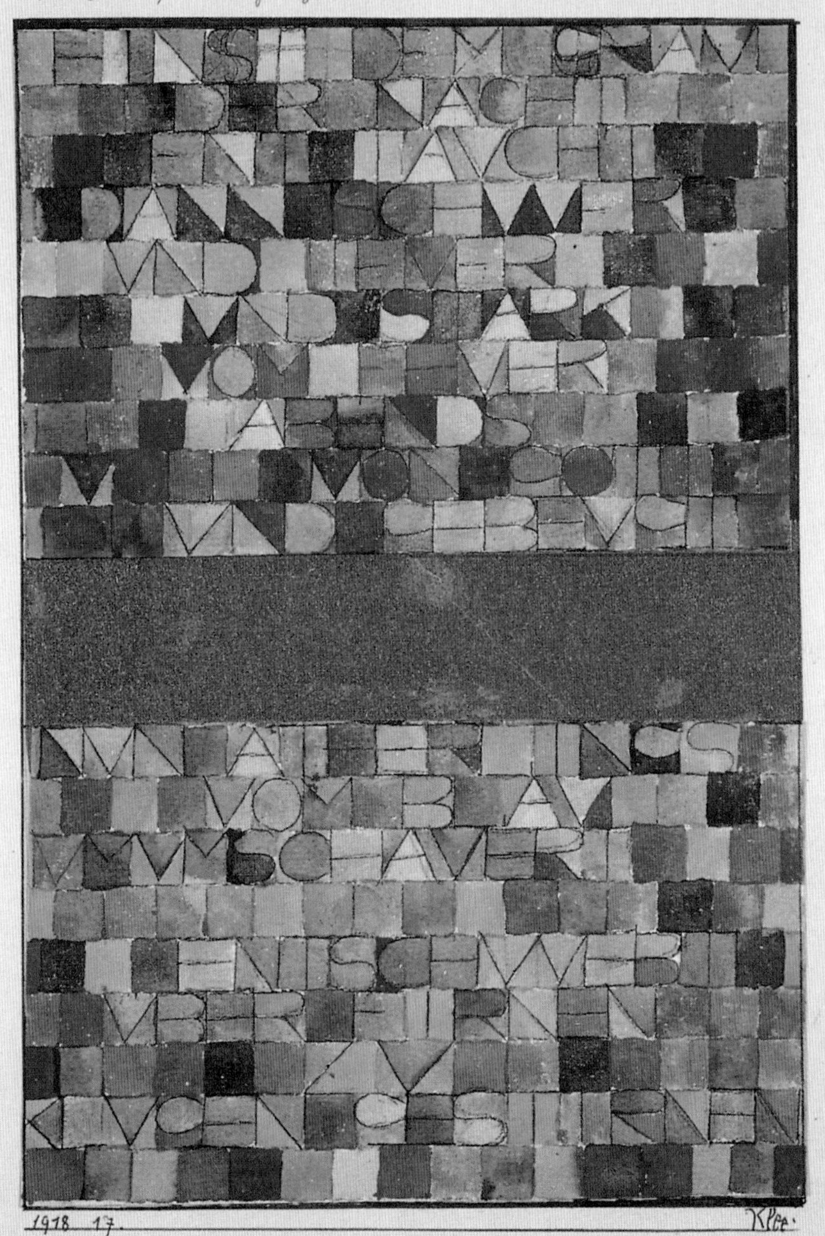
Bahn
Einst dem Grau der Nacht enttaucht / Dan schwer und teuer / und stark vom Feuer /
Abends voll von Gott und gebeugt / Nun ätherlings vom Blau umschauert, / entschwebt
über Firnen, zu klugen Gestirnen.
1918 17.
Klee.

추상화를 좋아하지 않는 사람도 추상화를 보면서 즐거워할 수는 있다.
작품의 의도 같은 건 몰라도 작품을 사랑할 수 있다.
그 사람을 다 알아야 그를 사랑할 수 있는 것은 아니니까.

밤의 회색으로부터 한 번 나타나다 | Once emerged from the gray of night | 종이에 수채 | 1918

나는 가끔 알고 싶어진다. 왜 어떤 사람들은 내가 이해할 수 없는 것을 그리는지. 우리는 그것을 '추상화' 라고 부르지만, 그것은 과연 그것을 그린 사람에게도 추상적인 무엇이었을까. 그럴 리 없다. 그것을 그린 사람에게는 분명 무엇인가 확실한 것이 존재했을 것이다. 그것은 이미지였을까? '추상적인 이미지' 는 있지만 모든 이미지가 추상적인 것은 아니다.

어떤 사람들, 이를테면 여기 클레 같은 사람. 그가 그린 이 그림에는 'Once emerged from the gray of night' 라는 제목이 붙어 있다. '밤의 회색으로부터 한 번 나타나다' 라…… 무엇이? 어떤 색채가? 어떤 도형이? 어떤 알파벳이? 그가 무슨 생각으로 이렇게 면을 나누고 그 하나하나에 하필이면 바로 그 색을 칠한 건지, 나는 무척 궁금하다. 그리고 왜 어떤 색들의 조합은 우리에게 '아름답다'

라는 생각을 하게 만드는 건지.

클레가 이 그림을 그린 것은 1918년이다. 그때 그의 나이는 서른아홉 살이었다. 스위스에서 태어난 그는 열아홉 살 때 독일의 뮌헨으로 그림 공부를 하러 떠났는데, 1918년에 독일이 패전하면서 다시 조국으로 돌아간다. 유태인으로 지목당해 독일에서 고통을 겪고, 3년간 군대 생활을 한 후에 풀려나 스위스의 베른으로 돌아간 것이다. 이 작품이 독일에서 그린 것인지 스위스에서 그린 것인지는 알 수 없지만(이 작품이 스위스 베른에 있는 것을 보면 스위스에서 그린 것 같지만, 정확한 것은 아니다), 어찌 되었든 20년을 살던 나라를 떠나 조국으로 돌아가야 했던 그해, 그는 이 작품을 완성시켰다.

그림이 시대를 초월한 매혹을 지닌 까닭은, 그 그림 속에 화가가 지니고 있던 현실과 꿈, 절망과 희망이 그대로 응고되어 있기 때문인지도 모른다. 그리고 그것은 이 세상에 단 하나밖에 없으며, 앞으로도 없을 유일한 것이다.

클레는 스물한 살에 뮌헨 미술학교에 입학한 이래 예순한 살로 세상을 떠날 때까지 9,146점의 그림을 그렸다. 그렇다면 이틀에 하나 이상…… 아니, 그런 것은 계산하지 않는 쪽이 옳다. 그의 작품수보다 놀라운 것은 그의 다양한 색깔이다. 클레의 작품을 10~20점 정도 아는 것만으로는 그를 안다고 말할 수가 없다. 경이롭다. 그가 지니고 있던 에너지의 발끝만이라도 들여다보고 싶어진다.

어떤 사람의 일생은 어린 시절에 결정된다. 클레도 그런 사람 중의 하나이다. 그는 어린 시절에 할머니가 들려준 동화를 무척 좋아했다. 할머니가 들려주는 동화를 싫어한 사람은 거의 없을 테니, 별로 특별할 것은 없는 어린 시절이다. 그런데 클레와 다른 사람들의 차이는, 그의 할머니가 동화의 내용을 종종 그림으로 옮겨 클레에게 보여주었다는 것이다.

그때부터 클레는 동화의 세계, 그림의 세계에 깊이 빠지게 된다. 클레의 작품들이 상상력으로 넘쳐나며 동화적이고 환상적인 색채를 갖게 된 것은 바로 이런 이유 때문이다. 클레의 할머니는 클레가 다섯 살 때 세상을 떠났다. 그리고 클레는 할머니를 그리워하며 공책의 여백에 그림을 그리기 시작했다.

그에게 풍성한 색감을 선물한 것은 북아프리카 튀니지였다. 그곳을 여행하면서 그는 스스로 "나는 색에 사로잡혔다"라고 말했고, 그후 20년 동안 아름다운 색의 조화를 보여주었다. 전쟁 또한 그에게 많은 영향을 주었다. 1차 세계대전 이후에 그려진 그의 그림을 보면, 태양, 건물, 새, 나무, 고기 등 우주 공간에 존재하는 모든 것들이 동등하게 그려져 있으며, 인간 역시 다른 생물체와 똑같이 하나의 미미한 존재로 표현되어 있다.

2차 세계대전 이후 그는 스위스로 돌아갔는데, 스위스의 예술계는 그를 환영하지 않았다. 쉰다섯 살이 되면서 그는 여러 가지

병에 시달렸으며, 이때부터 그의 작품은 우울한 색채를 띠게 된다.

하지만 이런 환경이 그의 환상을 막지는 못했다. 오히려 현실의 무거움이, 그를 단순하고 동화적인 세계로 몰아간 것일 수도 있다. 이 세상에서의 클레의 삶은 이미 끝나버렸기 때문에, 우리는 그가 살아온 삶을 유추하면서 결과만을 가지고 생각할 수밖에 없다. 결과라는 것은 항상 단순하고 제멋대로다. 현실은 좀더 복잡하다. 가벼움 속에서 무거움이 나올 수도 있고, 무거움 속에서 무거움이 나올 수도 있다. 그 반대의 경우도 가능하다. 그러니까 애초에 삶의 가벼움이나 무거움 같은 건 인간의 본질을 변화시킬 수 없는 것이다, 라고 이야기할 수도 있다.

중요한 것은 아니지만, 클레는 왼손잡이였으며 관현악단의 바이올리니스트이기도 했다. 그 사실은 밤의 회색과 같이 암울한 세계에서 단 한 번 발현한 어떤 존재를 조금 신비롭게 만든다. '그림은 하나의 꿈' 이라고 생각했고 새와 물고기와 천사를 즐겨 그리던 어떤 존재. 그가 남긴 이 그림은 나에게 구체적인 이미지의 발현을 요구한다.

동화 혹은 꿈, 그리고 현실 또는 절망으로 직조된 하나의 삶. 우리는 그 부분만을 보고 듣고 갈망하지만, 중요한 것은 '어떤 색들의 조합이 아름다운 것인지' 를 궁금해하는 것, 그것인지도 모른다.

남쪽 정원 | Southern gardens | 종이에 유채 | 1936

자연 속에는 서로 어울리지 않는 색깔이 없다. 아름답지 않은 색깔도 없다.
남쪽 정원에서 클레가 본 것은 그런 것이리라.

튀니지의 남쪽 정원 | Southern (Tunisian) gardens | 수채 | 1919

따뜻함이 마음으로 번진다. 이런 경우, '모르겠다'는 말은 정확하지 않다. 그곳에 뭔가 마음을 움직이게 하는 것이 있다, 라는 것은 분명하니까.

금빛 물고기 | The golden fish | 캔버스에 유채 | 1925

다른 물고기들은 모두 금빛 물고기와 다른 방향을 향해 헤엄치고 있다.
그러나 금빛 물고기는 그 자리에 가만히 있는 것처럼 보이고
그의 주위에 있는 시간은 정지된 것처럼 보인다.
고귀한 존재라는 느낌은 바로 거기에서 온다.

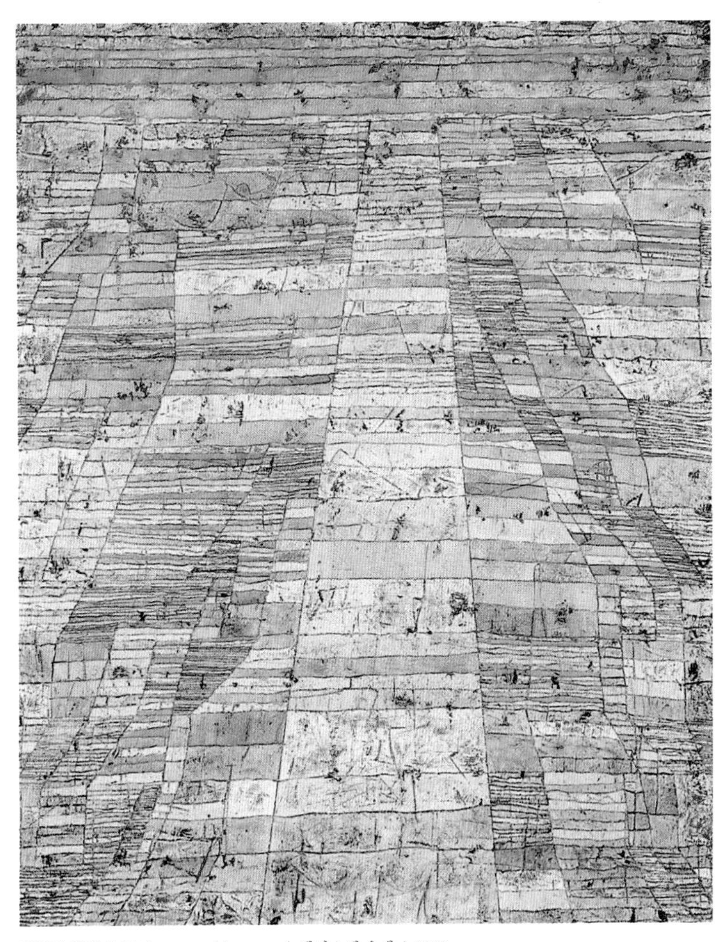

큰길과 옆길 | Highway and byways | 캔버스에 유채 | 1929

정도正道와 사도私道라고 하면 좋을까.

길과 길 사이, 무한한 세계들이 있다.

little more

우리의 눈 속에는 불이 들어 있음이 분명하다. 우리가 눈을 뜨면 빛이 바깥으로 퍼져나오기 때문이다. 그것은 아주 깊은 밤에 우리 내면의 풍경을 밝혀주는 꿈속의 빛이 스스로 빛을 발하는 것과 같다.

— 기원전 5세기 피타고라스 학파

색은 모든 물체에서 쏟아져나오는 불꽃이다. — 플라톤

어떤 색도 있는 그대로 순수하게 보이는 것이 아니라 다른 색의 영향을 통해 또는 빛과 그림자를 통해 변화된다. — 아리스토텔레스

색은 우리의 두뇌와 우주가 만나는 장소이다. 나는 가끔 색이 거대한 실체, 생생한 이데아 또는 순수 이성의 본질이라고 생각한다.

— 폴 세잔

파울 클레는 1910년에 쓴 일기에서, "나는 아직도 그림을 그릴 수 없다" 라고 기록했다. 그로부터 4년 후, 클레는 지중해의 빛을 통해 색에서 자유를 얻게 된다.

> 나는 지금 작업을 되는대로 내버려둔다. 그것은 너무도 깊고 부드럽게, 그리고 명료하게 내 속으로 들어온다. 색은 나를 갖는다. 색은 영원히 나를 가질 것이다. 이것은 행복한 감각의 시간이다. 나와 색은 하나가 되었다. 나는 화가이다. —파울 클레

René Magritte

르네 마그리트 René Magritte, 1898~1967, 벨기에

브뤼셀 미술 아카데미에서 공부한 뒤, 벽지공장의 디자이너로 일하다가 광고를 위한 그림을 그리게 되었다. 1926년 브뤼셀의 한 화랑의 지원을 받아 그림에만 전념할 수 있게 되었다. 그가 초현실주의에 몰두하기 시작한 것은 그 직후였다. 앙드레 브르통, 폴 엘뤼아르를 포함한 초현실주의자들과 알게 되어 가까이 지냈으며 막스 에른스트의 콜라주도 접하게 되었다. 1930년 브뤼셀로 돌아온 후에는 여생의 대부분을 그곳에서 지냈다.

초현실주의자의
그림을 보는 방법

우리는 세상을 어떻게 바라보는가. 세상이 단지 정신적 표현으로서
우리 내부에서 경험되는 것일지라도 우리는 세상을 외부의 것으로 여긴다.
마찬가지로 우리는 현재 발생하고 있는 일을 과거에 놓는다. 그리하여
시간과 공간은 일상의 경험이 고려하는 단 하나의 그 정제되지 않은 의미를
상실한다. — 르네 마그리트

인간의 조건 | The human condition | 캔버스에 유채 | 1935

지방에 있는 여고의 신문사 학생들이 인터뷰를 하러 와서, "글이 잘 안 써질 때는 어떻게 하면 좋은가요?"라는 질문을 했다. 며칠 후에는 어느 웹진에서 역시 인터뷰를 하러 와, "문체에 대해 당신은 어떤 고민을 하는가?" 하고 물었다. 결국 이 두 가지는 같은 질문이다. 표현에 관한 문제인 것이다. 생각해보면, 나는 인터뷰 때마다 이 질문을 받고 있다. 나뿐 아니라 글을 쓰는 사람들은 대체로 "어떻게 씁니까, 어떻게 표현합니까?"에 대한 대답을 요구받고 있을 것이다.

그런데 나는 '어떻게 표현하느냐' 보다 '얼마나 솔직하게 표현하느냐' 가 더 중요하다고 생각하는 사람이다. 말과 글, 그리고 행동, 모두 마찬가지이다. 솔직하게 표현하기 위해서는 우선 내가 어떤 생각을 가지고 있는지를 제대로 알아야 한다. 정말 그렇게 생각하고 있는지에 대해서도 생각해야 한다. 혹시 잘 모르고 있는 건 아닌지, 이걸까 저걸까 망설이고 있는 건 아닌지, 그걸 아는 것이 중요하다. 잘 모르겠다면 잘 모르겠다고 이야기하는 용기도 필요하다. 그런 용기가 없다면 거짓말을 하게 된다.

대학시절의 나는 거짓말을 곧잘 했다. 일부러 거짓말을 하려고 작정해서 한 것이 아니라, 잘 모르는 것에 대해 잘 아는 것처럼 이야기하려다보니 그게 거짓말이 된 거였다. 영악해서 거짓말을 한 것이 아니라, 솔직하게 표현하는 걸 두려워했기 때문에 거짓말을 했다. 사람들이 나의 있는 그대로의 모습을 들여다보는 게 아마 싫었을 것이다. 나는 스스로 미완성인 채, 완성된 것처럼 보이고자 했다. 나의 모든 행동이나 말이나 글에, 특별한 의미가 있는 것처럼 보이고자 했다.

벨기에의 화가 르네 마그리트, 사람들은 그를 초현실주의 작가라고 부른다. 그의 그림은 보는 사람을 당황하게 만든다. 파이프를 그려놓고 '이것은 파이프가 아니다' 라고 써두거나, 위는 물고기이고 아래는 사람인 인어(?)를 그려놓고 '공동 발명' 이라는 제목을 붙이기도 했다. 그는 인물화를 싫어했고 눈에 보이는 풍경이나 정물을 묘사하지도 않았다. 현실에서 볼 수 없는 것들이 그의 관심의 대상이었다. 그러나 과연 그것은 현실에서 벗어나 있는 것들일까. 사람들은 그의 그림이 상징하는 것을 찾고자 했으며, 어떤 이들은 그것을 발견하기도 했다. 그러나 그런 작업에 대해 그는 굉장히 화를 냈다.

"의식적이든 무의식적이든 간에 나의 그림을 상징주의와 동일시하는 것은 작품의 진정한 본질을 무시하는 것이다. 사람들이 물건을 사용할 때는 그 물건 속에서 상징적 의도를 찾지 않지만, 그림을 볼 때는 그 용도를 찾을 수 없고 무슨 생각을 해야 할지 모르기 때문에 곤경에서 벗어나기 위하여 의미를 찾게 된다"라고 그는 말했다.

그러나 그의 그림들은 '무슨 생각을 해야 할지' 모르게 만든다. 그가 보여주는 세계는 무척 낯설다. 하지만 '사물을 낯설게 보이도록 하는 것'은 그의 의도이기도 하다. 러시아 형식주의자들에 따르면, 우리는 친숙한 사물에는 주목하지 않는다고 한다. 에른스트, 달리 등이 '사물을 주목하게 만드는 방식'으로 채택한 것은 '데페이즈망depaysement 기법'이다. '사람을 타향으로 보내는 것' 또는 '다른 생활 환경에 두는 것'을 의미하는 이 기법은 어떤 물체를 본래 있던 곳에서 떼어내어 다른 곳으로 보내는 것이다.

마그리트는 사물을 왜곡하고 변형시켰던 달리와는 다르게, 있는 그대로의 사물을 '다른 곳'으로 이동시킴으로써, 뒤틀리고 비논리적인 세계를 만들어냈다. 그렇게 함으로써 '사물'을 낯설게 하고 주목하게 하고 그것에 대해 다시 인식하게 만든다. 그러니까 마그리트의 이런 기법이나 의도 같은 것을 알건 모르건, 우리는 그의 의도대로 그림을 보고 있는 것이다. 낯설어하고, 당황하고, 무슨 생각을 해야할지 모르는 대로, 마음에 떠오르는 설명할 수 없는 하나의 '이미지' 만 가지는 것으로, 우리는 마그리트의 그림을 볼 수 있다.

마그리트는 1898년, 벨기에에서 태어났으며 그의 어머니는 그가 열다섯 살 때 자살로 생을 마감했다. 그는 브뤼셀의 미술 아카데미(1916~18)에서 공부한 뒤, 벽지공장의 디자이너로 일하다 광고를 위한 스케치를 그리게 되었으며, 스물네 살 때 키리코의 「사랑의 노래」라는 그림을 보고 깊은 감명을 받았다. 스물아홉 살에 첫 개인전을 열었는데 비평가들은 그를 싫어했지만 대신 앙드레 브르통, 폴 엘뤼아르 같은 초현실주의자들과 친구가 되었다. 예순아홉 살에 세상을 떠날 때까지 브뤼셀에서 '수수께끼 같고 비논리적인 그림' 을 그렸다.

존재에 대한 '솔직한 감응' 은 아직도 나에게 숙제로 남아 있다. 제도교육이 나에게 심어준 '의미와 상징을 찾아야 한다는 강박관념' 에서 벗어나지 못하는 이상, 나는 어떤 존재도 있는 그대로의 모습으로 받아들이지 못할 것이다. 그것이 그림이든 음악이든 글이든 사람이든, 거기에 담긴 의미를 찾기보다 먼저 '정신이 인식하는 것' 이 무엇인지 나 자신에게 물어보아야 할 것이다. 그것이 내가 생각하는, '초현실주의자의 그림을 보는 방법' 이다.

향수병 | Homesickness | 캔버스에 유채 | 1940

무언가를 그리워하는 것은 어딘가 먼 곳을 보는 일.
그 눈동자가 텅 비어 있는 이유는, 그들이 이 세계가 아닌
다른 세계를 보고 있기 때문이다.

little more

어떤 화가들은 자신의 작품에 대해 이야기하지 않는다 • 그러나 르네 마그리트는 다르다 • 그는 화가이기 이전에 철학자였고, 자신의 사고체계를 그림으로 표현했다 • 또한 말과 글을 통해서도 그것을 표현했다 • 그는 사람들이 자신의 그림에서 어떤 '상징적 의미'를 찾아내는 것을 굉장히 싫어했다 • 자신의 그림을 상징주의와 동일시하는 것은 작품의 진정한 본질을 무시하는 것이며, 이미지는 '있는 모습 그대로' 보여야 한다고 말했다 • 사실 나에게는 작품의 의도 같은 걸 굳이 찾아내고 싶은 마음이 없다 • 마그리트의 의도는 작품의 제목만으로 너무나 선명하게 드러난다 • 그 속에서 상징을 솎아내고 의미를 부여하려는 행위는 색안경을 끼고 그림을 보는 일과 같은 게 아닐까 • 보이는 대로 보고, 느끼는 대로 느끼고, 그 느낌이 말도 안 되는 것이라고 해서 당황하지 말 것 • 그게 바로 초현실주의니까.

p.s. 르네 마그리트에 대해 좀더 자세한 것을 알고자 하시는 분에게는 『르네 마그리트』(수지 개블릭 지음, 천수원 옮김, 시공사, 2000)라는 책을 추천합니다.

Albert Bierstadt

알베르트 비어슈타트 Albert Bierstadt, 1830~1902, 미국

미국 서부지방의 풍경을 파노라마식으로 그려서 상당한 인기를 누렸다. 극서부 지방을 그린 거대한 그림들 「로키 산맥The Rocky Mountains」(1863)과 「코코런 산Mount Corcoran」(1875~77)으로 명성을 얻었다. 뉴욕에 있는 그의 작업실에서 그린 이 대형 작품들은 현지에서 그린 작은 그림들이 갖는 신선함과 자연스러움은 없으나, 엄청난 크기로 인해 보는 이를 압도한다. 그는 외경심과 웅장한 효과를 불러일으키기 위해 풍경의 세부를 임의로 바꾸기도 했으며 색채는 관찰에 기초를 두기보다는 공식에 따라 사용했다.

빛 그리고 그림자

햇빛과 그림자 | Sunlight and shadow | 캔버스에 유채 | 1862

모든 빛나는 것들은 빛 속에 있다.

캘리포니아, 시에라 네바다 산 사이에서 | Among the Sierra Nevada Mountains, California | 캔버스에 유채 | 1868

펜탁스 자동카메라, 슬라이드 필름 열 통, 여분으로 네거티브 필름 세 통, 캐논 디지털 카메라, 8메가와 64메가짜리 메모리 카드 두 장, 배터리 두 개, 배터리를 충전할 충전기. 전쟁터로 향하는 군인이 총과 총알을 챙겨 넣는 심정으로, 나는 그것들을 배낭 속에 차곡차곡 챙겨 넣었다. 안나푸르나를 만나기 위해.

나는 여행지에서 카메라를 손에 달고 다니며 보이는 것마다 찍어대는 스타일의 사람이 아니다. 카메라를 가지고 떠난 여행보다, 카메라 없이 떠난 여행이 더 많았다. 남는 것은 사진뿐이라고 사람들은 말하지만, 나는 그 말을 별로 믿지 않는다. 사진을 들여다보아야만 기억나는 추억이라면, 그런 추억은 일찌감치 시간의 강물을 따라 흘러가는 것이 당연하다고 생각한다. 기억나는 것은 기억나는 대로, 잊혀지는 것은 잊혀지는 대로, 그렇게 사는 쪽이 마음 편하다.

그렇다고 '카메라에 풍경을 담는 것보다는 마음속에 담겠어요' 같은 그럴 듯한 이유를 대며 카메라 없이 여행을 떠나는 것은 아니다. 나는 단지 카메라가 무겁게 느껴졌고, 그걸 꺼내어 뭔가를 찍는 행위가 귀찮았다. 하지만 안나푸르나 트레킹을 앞두었을 때, 가능하면 사진을 좀 찍어보는 것이 좋겠다, 라는 생각이 들었다. 어쩌면 두 번 다시 그곳에 갈 일은 없을 거라는 예감 때문인지도 모른다. 한두 달 전에 구입한 디지털 카메라에 쏠쏠한 재미를 느끼고 있었던 탓인지도 모른다. 어쨌든 나는 그곳에서 열두 통의 필름을 쓰고 메모리 카드 두 장을 가득 채워 왔다.

오후 세 시, 트레킹이 끝나고 샤워를 하고 나면 저녁 때까지는 아무런 할 일이 없다. 전기가 없으니 TV도 없고 컴퓨터도 없고 음악도 없다. 사람들은 숙소 밖에 의자를 내놓고 먼 산을 바라보거나 책을 읽는다. 나는 읽을 책도 없어서 그저 먼 산만 바라보았다. 그때, 태어나서 처음으로, 그림을 그리고 싶다고 생각했다. 아니, 그토록 '간절하게' 그림을 그리고 싶다고 생각한 것은 태어나서 처음이었다.

남자들은 아름다운 여인에게 시를 바치거나 사랑의 세레나데를 부르거나 그녀의 자태를 화폭 속에 그려넣는 것으로 그녀의 아름다움을 찬미한다. 그 거대한 자연 앞에서, 나는 아름다운 여인을 찬미하지 못해 안달이 난 남자의 심정이 되었다. 하지만 내가 하고 싶은 것은 시를 쓰는 것도 아니고 노래를 부르는 것도 아니었다. 사진도 아니었다. 그 풍경을 담기에 카메라는 너무 작고, 너무 문명적이고, 너무 단단했다.

내 손에 작은 스케치북이 있다면. 나에게 색색가지의 물감이, 아니 4B 연필이라도 한 자루 있다면. 내게 저 깊은 자연의 한 자락이라도 건져올릴 수 있는 미적 재능이 있다면. 나는 정말 애틋하게 그것을 바랐다.

알베르트 비어슈타트의 그림을 본 것은 여행을 다녀온 직후였다. 인터넷 갤러리에서 우연히 눈에 들어온 그의 이름을 클릭하자, 눈앞에 거대한 자연의 풍경이 펼쳐졌다. 내가 본 것과 흡사한 산, 흡사한 폭포, 흡사한 산 속의 마을……. 나는 자연 앞에 이젤을 놓고 열심히 그림을 그리고 있는 누군가를 상상했다. 그는 내가 갖고 싶어했던 것들을 갖고 있었다. 캔버스와 물감과 재능을.

비어슈타트는 독일에서 태어났으나 어릴 때 미국으로 건너갔다. 스물세 살에 독일로 가서 3년 정도 그림을 공부하고 다시 미국으로 돌아갔으며, 인간의 손길이 닿지 않는 자연의 풍경을 주로 그렸다. 그가 그린 황무지, 로키 산맥과 요세미티 계곡은 1860~70년대 미국적 낭만주의와 맞물리면서 급속도로 진행되던 산업주의 사회에 휴식 같은 바람을 불러일으켰다. 실제로 그는 미국 여러 곳으로 여행을 자주 다녔다고 한다. 자연 앞에서 이젤을 세워놓고 그림을 그렸던 것이다.

「햇빛과 그림자Sunlight and shadow」라는 작품은 그의 나이 서른두 살 때 그려졌다. 나는 이 작품을 보고 나서야 그가 그려낸 자연들이 왜 그토록 강한 힘을 갖게 되었는지 알게 되었다. 그는 모든 자연이 빛 속에서 존재하고 빛 속에서 완성되며 빛만이 그들의 모습을 가장 완벽하게 만든다는 것을 알고 있었다.

나는 몰랐다. 해가 어떻게 뜨고 어떻게 지며 그것이 어떤 방식으로 자연과 인간의 삶을 지배하고 있는지. 안나푸르나에 이르러서야 어렴풋이 자연의 경이로움을 감지했을 뿐, 나의 삶과 자연의 연결고리 같은 것에 대해 한 번도 깊이 생각해본 적이 없었던 것이다.

여기 빛이 있고 그림자가 있다. 그리고 진리는 가장 단순한 곳에서 출발한다. 그걸 몰랐던 나는 화가가 되지 못했다. 세상이 그 빛을 모두 잃을 때까지 하염없이 먼 산을 바라보며 그저 앉아 있었을 뿐이다. 그리고 나의 예상대로, 카메라는 너무 작고, 너무 문명적이고, 너무 단단한 풍경만을 내게 남겨주었다.

바위산, 땅의 꼭대기 | Montagnes Rocheuses, la pic de lander | 캔버스에 유채 | 1863

빛나는 것들은 빛 속에 존재한다. 그러나 그들이 영원히 빛나는 것은 아니다.
때로는 빛나고 때로는 그림자 지면서, 자연은 묵묵히 흘러간다.

little more

2001년 가을, 안나푸르나 기슭, 간두룽의 아침 풍경.

카메라라는 문명 속에 자연을 가두고 싶어 하는, 인간의 욕심.

가을

그리고 가을이 되었다
여기저기서 마른 잎들이 타올라
연기는 바람에 날린다
검은 손과
말라붙은 눈물의 너를 꿈꾸며
나는 오래도록 서 있었다
푸른 서리 내리는 어두운 길 위에서

나는 어느새 떠나와 있었다
쉽게, 마치 그러리라 작정했던 것처럼
후회는 없다, 그러나
누군들 변해버린 자신을 용서하겠는가
변명처럼 한숨을 쉬며
나는 오래도록 어두워진다
이 창백하고 불완전한 길 위에서

사진ⓒ김원

Edvard Munch

에드바르트 뭉크 Edvard Munch, 1863~1944, 노르웨이

심리적이고 감정적인 주제를 강렬하게 다룸으로써 보는 사람에게도 똑같은 감정을 자아내게 하는 그의 기법은 20세기 초 독일 표현주의 발전에 중요한 영향을 미쳤다. 그의 작품 「절규The Cry」(1893)는 실존의 고통을 형상화한 초상으로 높이 평가받고 있다.

누가
그녀를 데리고 갔나

입맞춤

따뜻한 비가 내렸다

나는 그녀의 허리를 끌어안았다

그리고 나서 그녀는 천천히 걸었다

두 개의 커다란 눈이 나를 바라보았고

그녀의 젖은 뺨이 내 뺨에 닿았다

나의 입술이 그녀의 입술 사이로 미끄러져 들어갔다

나무와 우리를 둘러싼 대기와 지상의 모든 것들이 사라졌다

그리고 나는 새로운 세계를 보았다

예전에 한 번도 알지 못했던 세계를……

— '뭉크의 노트' 중에서

입맞춤 | The kiss | **드라이포인트와 아쿼틴트** | 1895

이 우주 어딘가에 어떤 블랙홀이 있어서, 그곳에 가면 '한때 내가 사랑했던 사람들에게 바쳤던 나의 사랑'이 '한때 나를 사랑했던 사람들에게 받은 사랑'과 함께 행복하게 살고 있을 것이라는 상상을 해본 적이 있다. 그렇게 생각하면 조금 위안이 된다. 지금은 모두 잊어버린 한순간의 사랑들, 그들이 이 우주에서 완전하게 사라져서 결국은 무無가 되어버렸다는 생각이 들기 시작하면, 앞으로도 사랑 같은 건 할 용기가 나지 않기 때문이다.

사람들은 사랑을 한 번도 하지 않는 것보다 사랑을 하고 잃어버리는 것이 낫다고 하지만, 사랑의 절망 속에 빠져 있는 사람들에게 그보다 더 부정하고 싶은 이야기는 달리 없을 것이다. 사랑을 하고 사랑을 잃어버린 사람들은 대체로 무엇을 할까. 술을 마시거나, 울거나, 여행을 떠나거나, 사랑하는 사람과 관계되는 물건들을 죄다 버리며 기억을 지우려하거나, 헤어스타일을 바꾸거나, 새로운 일, 새로운 취미, 또는 새로운 사랑에 몰두하거나. 혹은 시를 쓰거나 노래를 만들거나 그림을 그리거나. 베토벤은 사랑하던 소녀를 떠나보내고 「월광 소나타」를 만들었으며, 단테는 베아트리체를 그리워하며 『신곡』을 완성시켰다. 그리고 뭉크, 그는 그림을 그렸다.

노르웨이에서 태어난 뭉크는 '감정적인 주제를 강렬하게 다룸으로써 보는 사람에게도 똑같은 감정을 자아내게 하여 20세기 초, 독일 표현주의 발전에 중요한 영향을 미친 화가이자 판화가' 라거나 '실존의 고통을 형상화한 초상으로 높이 평가받고 있는 화가' 등으로 알려져 있다. 그의 어린 시절을 지배한 것은 죽음이었고(그의 어머니는 그가 다섯 살 때 결핵으로 세상을 떠났고, 그로부터 10년 후에 그의 누나도 어머니와 같은 병으로 목숨을 잃었다), 이것은 그를 평생 동안 따라다녔으며, 때문에 그의 그림 속에는 죽음에 대한 이미지가 자주 나타나기도 한다(「병든 아이」, 「죽음의 방」, 「죽음의 침상 곁에서」, 「죽은 어머니」 등).

뭉크는 어린 시절에 미술에 대한 교육을 거의 받지 않고 자라났으나 그림에 대해 뛰어난 재능을 보였고, 많은 예술가들이 그러하듯 보수와 권위에 반항하며 자유분방한 젊은 시절을 보냈으며, 대부분의 천재들이 그러하듯 세상과 타협하지 않는 작품을 내놓음으로써 미술계에 논란을 불러일으켰다. 그리고 여기 뭉크의 작품

세 가지가 있다.

첫번째 그림은 「입맞춤」이라는 제목을 가지고 있다. 뭉크는 이 주제가 꽤 마음에 들었던 모양으로, 이것을 유화, 목판화, 동판화 등 여러 형태로 표현하고 있다. 나는 그중에서 목판화에 주목했는데, 거칠고 역동적인 나무결의 뚜렷한 무늬가 우선 눈에 띈다. 이것은 격정적인 느낌을 주는 동시에 어딘지 불안함을 내포하고 있다. 마치 '이것은 지금 한순간일 뿐이야' 라는 이야기를 하는 듯하다. 그것이 뭉크가 생각하는 입맞춤이었을까.

두번째 그림은 「질투」이다. 이것은 석판화인데 '질투를 하고 있는 주체' 로 보이는 남자가 앞쪽의 반 이상 차지하고 있어서 보는 사람을 아주 우울하게 만든다. 남자의 뒤에는 다른 남자와 이야기를 하고 있는 나체의 여자가 서 있다. '나체' 라는 것은 질투하는 남자의 시각이라고 생각된다. 자신에게는 보여주지 않았던 그녀의 욕망이라거나 진심, 또는 자신에게만 보여주는 것이라 생각했던 그녀의 욕망이나 진심을 다른 남자가 보는 것. 그것이 뭉크가 생각하는 질투였을까.

세번째 그림은 「이별」이다. 뜨겁고 두근거리는 입맞춤의 순간이 지나고, 무시무시한 질투의 순간도 지나고, 이제 이별의 시간이 찾아왔다. 얼굴도 없는 그녀의 모습은 마치 연기처럼 금방이라도 사라질 것 같다. 그녀를 잡을 수 없다는 것을 알고 있는 남자는 그저 아픈 심장을 움켜쥐고 있을 뿐이다. 그것이 뭉크의 이별이었을까.

그리하여 그녀는 이제 어디로 가는 것일까. 누가 그녀를 데리고 가는 것일까. 한때의 사랑은 어디로 사라지는 것일까. 그것은 연기처럼 사라져 마침내 아무것도 아닌 것이 되어버리는 걸까. 그러나 사랑은 사라져도, 사랑하는 사람은 떠나가도, 뭉크의 그림은 오랜 세월을 견디고 여기 남아 있다. 입맞춤하던, 질투하던, 이별하던 한순간은 그림 속에 머물러, 그 시간을 다시 견디고 있는 우리들에게 이야기를 건다. 그러나 그건 정말 짧은 한순간일 뿐이야, 라고…….

입맞춤 | The kiss | **목판** | 1902

시기적으로 보면, 이 「입맞춤」은 「질투」와 「이별」 후에 그려진 것이다.
뭉크의 의도와는 상관없이 내 멋대로 입맞춤 - 질투 - 이별의 순서로
나열했지만, 만약 사랑이 질투 - 이별 - 입맞춤의 순서라면
우린 훨씬 행복해질 수 있겠지. 그런 일이 일어날 리는 없겠지만.

질투 | Jealousy | 석판 | 1896

사람을 질투하고 사랑을 질투하고 젊음을 질투하고 생명을 질투한다.
그것이 질투의 순서이다. 어떤 사람은 질투로 인해 아름다워지고,
어떤 사람은 질투로 인해 시들어간다.

이별 | Separation | **캔버스에 유채** | 1900

뭔가가 시작되고 뭔가가 끝난다. 시작은 대체로 알겠는데 끝은 대체로 모른다.
끝났구나, 했는데 또 시작되기도 하고 끝이 아니구나, 했는데
그게 끝일 수도 있다. 아주 오랜 세월이 흐른 후 아, 그게 정말 끝이었구나,
알게 될 때도 있다. 그때가 가장 슬프다.

little more

베토벤은 서른 살에 열여섯 살 소녀와 사랑에 빠졌다 ◦ 두 사람은 사랑했지만, 소녀의 아버지는 소녀를 다른 남자와 결혼시켰다 ◦ 실의에 빠진 베토벤은 「월광」을 작곡했다 ◦ 베토벤이 그 소녀를 만나지 않았다면, 「월광」은 세상에 태어나지 않았을 것이다 ◦ 베토벤이 사랑의 상처를 받지 않았다면, 그 소녀와 행복하게 살았다면, 우리는 「월광」을 듣지 못했을 것이다 ◦ 어느 것이 더 좋은 일인가 ◦ 베토벤이 행복한 것과 「월광」을 듣는 것.

건축가 이일훈 선생님은 이 이야기에 대해, 이렇게 말씀하신 적이 있다 ◦ "베토벤이 그 소녀와 헤어지지 않았어도 「월광」은 나왔을 거야. 세상에 나오게 되어 있는 것은 그런 일과 상관없이 나오는 것이니까." ◦ 정말 그런 걸까? ◦ 그래도 나는 '헤어졌기 때문에 「월광」을 만들 수 있었다' 고 생각하고 싶다 ◦ 이별의 좋은 점이 하나쯤 있어도 나쁘지 않으니까.

Vincent Van
Gogh

빈센트 반 고흐 Vincent Van Gogh, 1853~90, 네덜란드

렘브란트 이후 가장 위대한 네덜란드 화가로 널리 인정받고 있으며, 현대미술사에서 표현주의 미술에 강한 영향을 미쳤다. 목사의 아들로 태어나 1880년 화가가 되기로 결심할 때까지 화상점원, 목사 등 여러 직업에 종사했다. 인상파의 밝은 그림과 일본의 우키요에 판화를 만남으로써 밝은 화풍으로 바뀌었다. 고갱과 다툰 끝에 면도칼로 자신의 귀를 잘라버린 후부터는 발작과 입원의 연속이었으며, 발작이 없을 때는 그 동안의 공백을 메우려는 듯 마구 그려댔다. 1890년 오베르쉬르우아즈에서 권총 자살 했다.

별이 빛나는 고흐의 밤

밤의 강에는 황금빛 기둥들이 세워진다.
그 기둥을 타고 내려가면, 그곳에는
황금빛 집들과 황금빛 꽃들, 황금빛 열매를
매단 황금빛 나무들이 늘어서 있는,
황금빛 마을이 있을 것이다. 그것은 내가
한 번도 가보지 못한 마을이며, 영원히
갈 수 없는 세계이다. 그래서 지상의 그 어느
신전보다 아름답고 거룩하게 보인다.

론 강의 별이 빛나는 밤 | Starry night over the Rhone
캔버스에 유채 | 1888

……요즘은 별이 반짝이는 하늘을 그리고 싶은 생각이 간절하다. 밤이 낮보다 훨씬 더 풍부한 색을 보여주는 것 같다는 생각이 들 때가 종종 있기 때문이다. 더 강렬한 보라색, 파란색, 초록색들로 물든 밤……. 어떤 별들은 레몬빛을 띠고 있고, 다른 별들은 불처럼 붉거나 녹색, 파란색, 물망초빛을 띤다.

—빈센트 반 고흐

어떤 그림을 '특별히' 좋아하게 된다는 것은 어떤 것일까. 그 그림 속의 어떤 요소가 사람의 마음을 이끄는 것일까. 어떤 화가가 '특별히' 세상에 알려지는 이유는 무엇일까. 그의 그림 속에 있는 어떤 부분이 그림의 가치를 높이는 것일까. 어떤 음악을 특별히 좋아하게 되는 것, 어떤 영화에 특별히 감동받는 것, 어떤 사람을 특별히 생각하게 만드는 것은, 도대체 무엇일까. 공기 중에 '어떤 것을 특별하게 여기도록 하는 마음' 같은 것이 떠돌아다니다가, 무차별적으로 우리를 습격하여 '그런 마음'을 갖도록 만드는 것일까. 아니면 우리의 DNA 속에 '어떤 것에 대해 특별하게 반응할 것'이라는 명령이 각인되어 있어, 그것을 따르지 않으면 안 되게 되어 있는 걸까.

빈센트 반 고흐, 불행하게 살다 간 예술가들을 꼽을 때 절대로 빠지지 않는 사람. 고갱과의 말썽 많은 동거생활, 스스로 자신의 귀를 잘라버린 기이한 행적, 정신병원을 들락거려야 했던 불안한 정서, 그리고 권총자살. 어쩌면 나는 고흐의 그림보다 고흐의 파란만장한 삶을 통해 그를 알고 있는지도 모른다. 그의 그림을 보고 있으면 아슬아슬하고 불안한 파장의 소용돌이가 공기를 휘감는 것이 느껴지고, 저 그림이 마침내 나를 잡아먹고 말리라는 공상에 시달리게 된다. 그래서 나는 그의 불타는 노란 해바라기조차 느긋하게 감상해본 적이 없다.

파리를 방문했을 때, 애초부터 시내에 있는 미술관들을 모조리 순례할 생각은 없었다. 유명한 작품들을 직접 보는 것보다, 센강가를 거닐다 좌판에서 마음에 드는 엽서를 고르는 쪽이 즐거웠기 때문이다. 그래도 꼭 한두 군데 가보고 싶은 미술관은 있었는데, 모네의 수련이 있는 오랑주리 미술관과 예쁘고 아담한 외관을 가지고 있는 오르세 미술관이 그곳이었다.

그때 오르세 미술관 한쪽에서는 〈빈센트 반 고흐전〉을 하고 있었다. 관광객이 아닌 것이 분명한 사람들, 그러니까 파리지엔느와 파리지엥들이 줄을 서서 관람을 기다리고 있었는데, 그 줄이 너무나 길었기 때문에, 갈 길이 먼 여행자인 나는 감히 그 대열에 합류하지 못했다. 지금은 좀 후회가 된다. 하루를 기다려서라도 보고 올걸. 고흐에게 통째로 잡아먹히더라도.

사실을 말하자면, 나에게 있어 고흐는 특별한 화가가 아니다. 좋아하는 화가가 누구냐는 질문을 받을 때, 고흐를 떠올리지는 않는 것이다. 그러나 고흐의 어떤 그림들이 내 마음을 강하게 끌어당기고 있다는 사실을 얼마 전에 깨달았다. 그 그림들은 대부분, 고흐가 프랑스 아를 지방에 머무를 때 그린 것들이다. 나를 끌어당기는 것은 고흐의 강렬한 노란색과 푸른색이다. 거칠고 폭발적인 그의 터치는 그가 사용하는 색채들을 살아 움직이게 만든다. 「론 강의 별이 빛나는 밤」이라는 작품에 대해, 고흐는 그의 동생이자 후원자였던 테오에게 이렇게 설명했다.

……하늘은 청록색이고, 물은 감청색, 대지는 엷은 보라색이다. 도시는 파란색과 보라색을 띠며, 노란색 가스등은 수면 위로 비치면서 붉은 황금색에서 초록빛을 띤 청동색으로까지 변한다. 청록색 하늘 위로 큰곰자리가 녹색과 분홍색의 섬광을 보인다. 그중에서

희미하게 빛나는 별은 가스등의 노골적인 황금색과 대조를 이룬다. 전경에는 두 연인의 모습이 조그맣게 보인다. ……지도에서 도시나 마을을 가리키는 검은 점을 보면 꿈을 꾸게 되는 것처럼, 별이 반짝이는 밤하늘은 늘 나를 꿈꾸게 만든다. —빈센트 반 고흐, '테오에게 보내는 편지' 중에서

한때, 나는 강물에 비치는 빛의 그림자에 강하게 매혹당한 적이 있다. 밤의 강에는 황금빛 기둥들이 세워진다. 그 기둥을 타고 내려가면, 그곳에는 황금빛 집들과 황금빛 꽃들, 황금빛 열매를 매단 황금빛 나무들이 늘어서 있는, 황금빛 마을이 있을 것 같았다. 그 기둥들은 지상의 어떤 신전보다 아름답고 거룩하게 보였다. 고흐가 본 론강에도 그 황금기둥들이 있었다.

어쩌면 나는 고흐의 의도와 전혀 다르게 이 그림을 보고 있는지도 모르겠다. 그가 주목한 것은 (테오에게 보낸 편지에서 밝혔듯이) '별이 반짝이는 밤하늘'이다. 그는 도시의 노골적인 황금색보다 희미하게 빛나는 별을 동경했을 것이다. 그 별들이 그에게는 하나의 도시이고 마을이고 지표였을 것이다. 별들을 통하여 그는 꿈을 꾸었다. 그런 사람이니, 인간의 삶에 적응할 수 없는 것이 당연하다.

그 꿈의 자락을 붙잡고, 우리는 또다른 꿈을 꾼다. 이를테면 나는, 다시 한번 황금기둥을 타고 강바닥으로 내려가, 황금마을을

찾아가는 꿈을 꾼다. 고흐가 의도한 것은 아니겠지만, 뭐 어떠랴.

고흐는 정말 불행한 삶을 살았을까. 가난하고 이름 없는 화가의 삶이란 불행한 것이다, 라고 우리는 쉽게 단정지어버릴 수 있을까. 그의 섬세한 자의식은 세상을 견디지 못했을지 모르지만, 별을 보면서 꿈을 꾸는 순간들은 행복했을 것이라고, 나는 생각한다. 별이 반짝이는 밤하늘을 미친 듯이 그리고 싶어했던 어느 화가, 나는 고흐를 이 정도로만 기억하고 싶다. 그리하여 이 지독한 노란 불빛들이 나를 불안하게 만든다 하더라도, 나는 잠시 이들을 응시한다. 고흐가 귀를 잘랐든 권총자살을 했든, 별이 빛나는 밤은 여전히 아름답다.

몽마르트르 | Montmartre | 캔버스에 유채 | 1886

몽마르트르의 가을이다. 이것도 고흐의 그림이라니, 깜짝 놀랐다.
고흐의 것처럼 보이지 않는 터치 때문이 아니라, 하얀 여백 때문이다.
어깨를 맞댄 연인들이 두 쌍, 가로등이 네 개. 그들은 무엇을 보고 있는 걸까.

아이리스 | Irises | 캔버스에 유채 | 1889

꿈틀거리는 꽃들. 즐거워 보이기도 하고 괴로워 보이기도 한다.

욕망이란 즐거움과 괴로움을 함께 동반하는 것이다.

프로방스의 건초더미 | Haystacks in Provence | **캔버스에 유채** | 1888

'마음놓고' 라는 표현을 나는 좋아한다. 마음을 놓아버리면, 뭘 어떻게 해도 괜찮을 것 같다. 고흐의 프로방스와 고흐의 건초더미에는 그런 요소가 있다. 따뜻하고 편안하다. 이제 안심해도 좋아, 라는 이야기를 들었을 때처럼.

아를의 반 고흐의 침실 | Van Gogh' s bedroom in Arles | 캔버스에 유채 | 1889

아를에 있는 고흐의 침실, 그의 방 안 구석구석마다 노란색이
녹아들어 있다. 나도 이런 침실을 갖고 싶다. 노랗고, 작고, 간결하고,
어딘지 완성되지 않은 것처럼 보이는. 누군가가 막 떠난 듯한, 혹은
누군가가 막 찾아올 듯한. 편지를 쓸 수 있는 작은 테이블이 침대 옆에 놓인.

비 온 뒤의 오베르 길 | A road in Auvers after the rain | 캔버스에 유채 | 1890

비가 그쳤다. 젖은 언덕과 젖은 길에서 물기가 뚝뚝 떨어지고,

마침내 아무것도 남기지 않을 것처럼, 길이 조용히 흘러간다.

little more 세상에 너무 많이 알려졌다는 이유만으로, 무턱대고 무언가를 거부한 적이 있다 ● 나쁜 버릇이다 ● 그건 마치 진부하다는 이유로 진리를 무시하는 것과 같다 ● 좋아하는 화가가 누구냐는 질문에 대해, '고흐입니다' 라고 대답하는 것은 어쩐지 자존심 상하는 일 같았다 ● 좀더 특별한 화가, 남들이 잘 모르는 화가를 거론하는 쪽이 멋있지 않나, 라는 돼먹지 못한 생각 때문이다 ● 꼭 그래서라고 할 수는 없지만, 나는 줄곧 고흐를 눈여겨보지 않았다 ● 고흐뿐 아니라 나의 이런 바보 같은 선입견으로 인해 내 관심의 대상에서 제외된 화가들이 꽤 있을 것이다 ●

그러나 그럼에도 불구하고 고흐는 위대하다 • 그는 타고난 화가이며 뛰어난 작품들을 남겼다 • 다 아는 이야기를 왜 새삼스럽게 하고 있냐 하면, 이렇게라도 말해두어야 고흐에게 덜 미안할 것 같기 때문이다 • 고흐의 「론강의 별이 빛나는 밤」을 보고 있으면 스콜피언스Scorpions의 「레이디 스타라이트Lady starlight」라는 노래가 생각난다 • 반짝이는 하나의 별로부터 일직선으로 뻗어나오는 빛과 같은, 그런 느낌의 노래이다 • 아를에 있는 고흐의 침실은 카레라이스를 떠올리게 한다 • 고흐의 침실과 카레라이스의 공통점은 두 가지 모두 노란색이라는 것, 그리고 울퉁불퉁한 오브제들이 강한 향신료 속에서 활발하게 움직이고 있다는 것이다 • 또한 고흐와 「레이디 스타라이트」와 카레라이스의 공통점은 욕망의 발현이다 • 그리고 그것은 굉장히 아름답다.

Camille
Pissarro

카미유 피사로 Camille Pissarro, 1830~1903, 프랑스

서인도 제도의 세인트토머스 섬 출생. 1855년 화가를 지망하여 파리로 나왔으며, 같은 해 만국박람회의 미술전에서 코로의 작품에 감명받아 풍경화에 전념했다. 그의 작품은 인상파 특유의 기법을 바탕으로 수수하면서도 구성적인 특징을 보인다. 한때 점묘법에 끌려 밝고 섬세한 규칙적인 필법의 작품도 남겼다. 만년에는 시력이 약화되었으나 최후까지 작품활동을 계속하여 인상파 운동과 운명을 함께 하려는 성실성을 보였다.

숨길 수 없다

지리산의 어느 숲에서 이런 집을 본 적이 있다. 만약 그때가 밤이었고,
그 집에서 불빛이 새어나왔다면, 나는 그곳으로 뛰어가 문을 두드렸을 것이다.
그곳에서 그 어떤 일이 기다리고 있다고 해도.

은자의 집 | La cote des boeufs, the hermitage | 캔버스에 유채 | 1877

세상에서 가장 따뜻한 것은 어둠 속의 불빛이다. 세상에서 가장 쓸쓸한 것은 어둠 속에서, 멀리 빛나는 어둠 속의 불빛을 지켜보는 일이다. 그것이 쓸쓸한 까닭은, 불빛에 대한 욕망 때문이다. 욕망이 어째서 쓸쓸한가, 라고 질문하는 사람은 아마 없을 것이다. 그건 우리 모두가 잘 알고 있는 사실이니까.

카미유 피사로의 그림을 보고 있는데, 갑자기 머릿속에 '숨길 수 없다' 라는 한 문장이 떠올랐다. 아니 머릿속에 떠올랐다기보다 마음속에 떠올랐다는 말이 정확하다. 무엇을 숨길 수 없는가. 나는 스스로에게 되물었다. 나의 마음은 '욕망' 이라고 대답했다. 나는 스스로가 한 대답에 깜짝 놀라, 불에 데인 사람처럼 당황했다. 세속적인 욕망 같은 건 오래 전에 잊어버린 채 지금까지 살아왔다고, 나는 늘 생각하고 있었다. 하지만 나에게는 아직도 욕망이 남아 있었던 것이다. 그것도 숨길 수 없는 욕망이.

집은 나에게 있어 욕망 또는 꿈이다. 내가 꾸는 꿈은 주로 두 가지인데, 하나는 물이고 다른 하나는 집이다. 꿈속에서 나는 수없이 많은 물가를 헤매고 다녔으며 또한 수없이 많은 집들을 찾아다녔다. 집들은 하나같이 불안하고 위험했다. 입구가 막혀 있거나, 한쪽 벽이 무너져 내렸거나, 너무 좁거나, 천장이 너무 낮았다. 가까스로 집 안으로 들어가도, 나는 마음 편히 그곳에서 휴식을 취할 수가 없었다. 어디에 앉아야 할까, 서성거리다 보면 집은 흔들리고 있었다.

꿈을 해몽하는 재주 같은 건 내게 없지만, 그런 꿈을 반복해서 꾸다보니, 그것이 내 욕망을 상징한다는 것을 짐작하게 되었다.

그리고 여기 그림처럼 작고 아늑하고 아름다운 집이 하나 있다. 집이 있는 곳은 숲속이고, 그래서 집은 나무들로 가려져 있다. 그 집으로 가고 싶은 나는, 그러나 길을 발견하지 못하고 이곳에 멈춰 서서 하염없이 집을 바라본다. 내가 열지 못하는 그 문을 열면, 내가 바라는 모든 것이 있을 것 같다. 완전한 사랑, 완전한 희망, 완전한 삶이 그 집 안에서 숨을 죽인 채 나를 기다리고 있을 것 같다.

그러나 나는 그곳에 이르지 못한다. 차라리 나무들이 더욱 무성하게 자라 그 집을 완전히 가려주었으면. 여기서 이렇게 지켜보며 쓸쓸해 하지 않을 수 있도록 불빛을 지워주었으면.

하지만 그건 불가능하다. 욕망이란 언제나 먼 곳에서 반짝이며 나를 유혹하고 있고, 나는 시선을 다른 곳으로 돌릴 수 없다. 욕망을 오래 응시하면 응시할수록 나의 삶이 쓸쓸해진다는 것을 알고 있으면서도, 그것을 잡으려고 하는 순간 욕망은 그 빛과 의미를 잃어버리고 내 마음속에서 사라져버린다는 것을 알고 있으면서도, 모르는 척 덮어버릴 수가 없다. 태연한 척 뒤돌아 설 수가 없다. 온 세상이 입을 모아 그곳에 가지 말라고 말하는데도, 나의 본능은 그것을 원한다.

숨기려 해도 숨길 수 없는 집 또는 욕망.

이 그림을 그린 피사로는 프랑스의 인상파 화가로 알려져 있다. 아버지의 뒤를 이어 상인이 되어야 할 운명이었지만 스물두 살에 만난 어느 화가가 그의 운명을 바꾸어놓았다. 파리에서 그림 공부를 하며 모네, 세잔과 알게 되고 서른 살 때쯤 한 여자를 만나 10년 후에 결혼하여 여덟 명의 아이를 낳는다. 하지만 그의 그림은 대중적인 인기를 끌지 못하여 경제적인 어려움을 겪었다. 1870년에 일어난 전쟁으로 인해 많은 작품들을 잃어버리기도 했다.

그는 사회주의에 관심을 가지고 있었는데, 그의 이런 정치적 성향 때문에 아나키스트들의 공격을 받아 한때 프랑스를 떠나 벨기에로 피신하기도 했다. 결국 그는 아나키스트로 노선을 바꾸었지만 그의 작품들은 항상 초기 인상파 스타일을 고수하고 있었다. 그는 주로 풍경화를 그렸는데, 파리와 파리 근교의 모습들이었다.

앞 그림의 영어 제목은 'The Hermitage'. '은자의 집, 쓸쓸한 외딴 집'이라고 사전에 나와 있다. 피사로는 내가 생각한 것과 완전히 다른 의도로 이 그림을 그린 것이다. 그것은 욕망으로서의 집이 아니라, 모든 욕망으로부터 벗어난 자유로서의 집이다.

그렇다면 그곳에 살고 있는 사람도 쓸쓸하긴 마찬가지인가. 불빛이란 멀리 떨어져서 볼 때만 따뜻하고 아름다운 것인가. 이루어도 이루지 못해도 쓸쓸한 것이 욕망인가. 그렇다 해도 여전히 숨길 수 없는…….

안개 속의 라크루와 섬 | Lacroix island, Rouen, in fog | 캔버스에 유채 | 1888

다가오는 배일까, 떠나가는 배일까. 사람의 생은 이렇게 알지 못하는 것투성이.
내게로 오는 것과 내게서 멀어지는 것조차 불분명하다.

사과 따기 | Apple picking at Eragny-sur-Epte | 캔버스에 유채 | 1886~88

가지에 매달려 있는 것을 흔들어 떨어뜨리거나, 땅에 떨어진 것을 줍거나,
그것을 먹는다. 사과를 따는 일과 살아가는 일은 다르지 않다.

우물가의 여인과 아이 | Woman and child at a well | **캔버스에 유채** | 1882

우물 옆의 여인과 소녀. 소녀가 미래의 자신을 보고 있는 것 같기도 하고,

여인이 과거의 자신을 보고 있는 것 같기도 하다.

어찌 되었거나 나에게는 이들이 같은 사람으로 보인다.

little more

가지 말아야 할 곳이 있다
그런데 그곳에 가면 꼭 행복해질 것 같다
조금 떨어져서 생각해보라고 사람들은 말한다
나는 조금 떨어져서 내 마음을 들여다본다

내 마음속에 가지 않아야 할 이유들이 무성하게 자라나 있다
다시 보면 가야만 할 이유들이다
이유들은 저희들끼리 열렬하게 부딪치고 열렬하게 헤어진다
또다른 한 곳에서 어디까지 가나, 두고 보자는 마음이 자란다

정말이지 두고 보고 싶다, 그런데 그 마음은 흔적도 없이 사라진다
정말이지 가고 싶지 않다, 그런데 그 마음은 보잘 것 없이 시든다
결국 가야만 하는구나, 체념한 나는 할 수 없이 간다
사실은 가지 말아야 할 곳으로 가고야 만다
가지 말아야 할 곳이 왜 꼭 가야할 곳처럼 생긴 건지
정말 알 수가 없다
왜 그곳에 가면 행복해질 것 같은지
몇 번씩 가보아도 알 수가 없다

1997년 4월

p.s. 욕망에 대해서는 너무 깊이 생각하면 안 된다.
생각하면 생각할수록 잡혀 먹힐 확률이 높아지니까.

James McNeill Whistler

제임스 맥닐 휘슬러 James McNeill Whistler, 1834~1903, 미국

매사추세츠 주 로웰 출생. 어린 시절을 러시아에서 지내고 귀국 후 워싱턴에서 그림 공부를 하다가, 1855년 파리에 유학하여 C. G.글레르에게 사사했다. 런던의 밤 풍경을 주제로 한 그림들과 진보적인 양식으로 그린 인상적인 전신 초상화 및 뛰어난 에칭 판화와 석판화들로 유명하다. 구성상의 요소를 추상적으로 다루면서 주제성을 배제하는 과정이 음악과 공통점이 있다고 보고, 작품의 부제로 '심포니', '녹턴' 등과 같은 음악 용어를 사용했다.

밤의 마음

휘슬러는 인물들도 많이 그렸지만,
물과 바다 역시 그에게 중요한 모티브가
되었다. 자연이 만들어내는 소리와
색채를 감지하고 표현할 수 있는 것이
그의 재능이었다.

회색과 초록색의 심포니—바다 | Symphony in gray and green: The ocean | 캔버스에 유채 | 1866

다른 사람으로부터 싫은 소리 듣는 것을 좋아하는 사람은 아마 없을 것이다. 평생 동안 싫은 소리를 한 번도 듣지 않고 살아가는 사람도 없다. 좋아하지도 않는데 그런 소리를 들어가며 살아야 하다니, 인생의 불행은 어쩌면 그런 것에서 시작하는지도 모른다.

온통 독기를 품은 화살이 한 번 날아와 박히면, 웬만큼 튼튼한 사람이 아니고서야 그 상처를 스스로 쉽게 치유하기는 힘들다. 상처는 시간과 누군가의 따뜻한 위로에 의해서만 다시 아문다. 그리고 상처를 입은 부위는 상처를 입기 전보다 강해지기도 한다. 또다시 같은 자리에 화살이 꽂힌다면, 처음보다 덜 아프고 처음보다 빨리 아물 수도 있는 것이다.

상처가 아무는 일, 인생의 행복은 그런 것에서 비롯된다.

제임스 맥닐 휘슬러는 자신의 그림 또는 자신의 재능을 비난하는 사람들에게 적의를 그대로 드러낸 사람이다. 그의 그림을 감상할 줄 모르는 대중들을 '속물'이라고 매도했으며, 그의 그림에 대해 악평을 한 비평가 존 러스킨을 명예훼손으로 고발하기도 했다.

문제의 그림은 「검은색과 금색의 녹턴—떨어지는 불꽃」이었는데, 러스킨은 '공중의 면전에 물감통을 끼얹은 그림'이라고 하며 '단 이틀 사이에 그린 그림에 어떻게 200기니가 넘는 가격을 제시할 수 있는지 해명하라'고 휘슬러에게 요구했다고 한다(200기니라는 게 어느 정도의 가격인지는 모르겠으나, 이 말의 뉘앙스로 보면 상당히 높은 가격인 듯하다). 결국 두 사람은 재판장에서 만났고, 휘슬러는 '내 생애 전체를 통해 갈고 닦은 지식을 기준으로 가격을 책정했다'고 반박했다. (재판의 결과가 궁금하시죠? 휘슬러가 이겼습니다.)

휘슬러의 공격적인 태도에 대해, 드가는 "친구, 자네는 마치 아무 재능도 없는 것처럼 행동하고 있어"라고 충고했다. 휘슬러의 재능을 드가는 인정하고 있었다는 이야기다. 다혈질에다 뛰어난 재능을 지닌 이 사람은 미국 매사추세츠 주에서 태어났으며, 열아홉 살 때 그림 공부를 하기 위해 파리로 건너가 4년을 보낸 후, 다시 런던으로 무대를 옮겨 그곳에 정착했다. 이후 파리와 런던을 오가며 많은 작품을 남겼다.

'회화에서 중요한 것은 주제가 아니고, 그것을 색채와 형태로 전이시키는 방식이다'라는 것이 휘슬러의 주장이었다. 그는 작품의 이름을 붙일 때, 회색, 초록색, 검은색 등 색채의 이름과 함께 '심포니symphony', '녹턴nocturne' 같은 음악 용어들을 주로 사용했다. 색채를 이용하여 음악과 같은 형태를 만들어내는 것이다.

드뷔시는 '순간적인 직관이 붙든 인상을 색채로 나타내는' 인상파 미술의 수법을 음악으로 표현한 최초의 작곡가로 알려져 있다. 그는 휘슬러의 작품 「파란색과 은색의 녹턴」에서 영감을 받아 「녹턴」이라는 관현악곡을 작곡하기도 했다.

'녹턴nocturne'이란 야상곡을 뜻하며, 밤의 인상, 밤의 심상, 밤의 몽롱하고 불분명한 느낌, 밤의 마음을 의미한다. 「구름」, 「축제」, 「인어」 세 곡으로 되어 있는 「녹턴」은 애매한 조성과 애매한 박자, 정묘한 불협화음으로 이루어져 있으며, 때문에 휘슬러의 그림 못지 않은 몽환적인 분위기를 느끼게 한다.

휘슬러는 어쩌면 밤의 마음을 사랑한 것이 아니라, 미워한 것인지도 모른다는 생각이 든다. 이름을 앞세우고 세상을 살아야 하는 사람이 어쩔 수 없이 받아들여야 하는 비평과 비난들, 수없이 쏟아지는 화살 앞에서 그는 적의를 드러내고 싸웠지만, 그 싸움이 그의 영혼을 위로했을 리는 없다. 어둠으로 가려진 익명의 적들을 향해 소리친들 이미 날아와 박힌 화살을 어떻게 할 것인가. 섬세한 영혼은 사치스러운 생활로 마음의 빈 자리를 채우고자 했다.

그는 빨간 머리의 모델 겸 애인과 함께 런던 거리를 활보하며 맛있는 음식과 멋진 옷들에 탐닉했고, 더운 여름, 차가운 음료수 한 잔을 사기 위해 자신의 옷을 저당 잡혔으며, 푸짐한 저녁식사를 먹은 후 "방금 나는 내 세면대를 먹어치웠다"라고 말했다. 그러나 그런 것들이 그의 영혼을 위무해주었을까?

「회색과 초록색의 심포니—바다」라는 제목의 그림은, 「검은색과 금색의 녹턴」과 대조적으로 잔잔하며 평화롭다. 그러나 약간 사선으로 기울어 있는 배, 이제 막 일기 시작하는 거친 물결은 이 잔잔함과 평화로움이 언제까지나 계속되지 않을 것이라고 말하는 듯하다. 뭔가 불길한 예감으로 가슴이 두근거린다.

하지만 세상의 모든 불안한 것들은 그 자체로 얼마나 아름답고 매혹적인가.

싱그러운 색채와 초록 속에 지는 땅거미 | Crepuscule in flesh color and green : Valparaiso | 캔버스에 유채 | 1866

설마 그렇지는 않겠지만, 강 위에 떠 있는 것이 사람처럼 느껴진다.

그럼에도 불구하고, 이 그림은 무척 평화로운 이미지를 갖고 있다.

검은색과 금색의 녹턴—떨어지는 불꽃 | Nocturne in black and gold: The falling rocket | 캔버스에 유채 | 1875

그를 재판장으로 데리고 갔던 문제의 그림이다.

'떨어지는 불꽃'은 잘 보이지 않지만 그 이미지는 선명하게 전해진다.

파란색과 금색의 녹턴 | Nocturne: blue and gold—Old Battersea bridge | **캔버스에 유채** | 1872~77

불빛들이 하늘에서 떨어져내려 지상에 머무른다. 그곳에 사람들이 산다.

little more

드뷔시는 자신의 곡 「녹턴」에 이런 주석을 달았다.

> '녹턴' 이라는 표제는 매우 막연한 수식어와 같은 것이다. '녹턴' 에서는 형식보다 표제에 함축되어 있는 인상과 특유의 빛을 나타내는 것이 중요하다. '구름' 은 넓은 하늘의 변함없는 모습인데 구름의 유연한 움직임은 회색으로 변해가고 있다. '축제' 는 분위기의 운동, 즉 춤의 리듬이다. 이것은 여러 가지 악기로 짜여져도 결국은 하나의 색깔밖에는 부여하지 않는 편성에 대한 탐구이다. 다시 말하면 그림에 있어서 회색의 습작과 같은 것이라고 할 수 있다.

「구름」, 「축제」, 「바다의 요정」이라는 세 파트로 나눠진 이 관현악곡에서, 드뷔시는 물질의 형태가 아니라 색채와 빛으로부터 오는 감각적인 인상을 표현하고 있다.

Joseph Mallord
William Turner

조지프 말러드 윌리엄 터너 Joseph Mallord William Turner, 1775~1851, 영국

19세기의 가장 위대한 풍경화가로 평가된다. 그의 아버지는 이발사였으며 어머니는 1804년 정신이상으로 죽었다는 것 외에는 초기 생애에 대해서는 별로 알려진 바가 없다. 17세기 네덜란드 풍경화가들의 영향을 받았으며, 국내 여행에서 익힌 각지의 풍경을 소재로 삼았다. 그의 작품은 빛과 색채, 표현주의적 분위기로 인해 매우 폭넓고 웅장하며, 특히 바다를 표현한 작품이 유명하다. 이후 인상파 화가들에게 많은 영향을 미쳤다.

세계의 끝이 시작되는 곳

빛, 색채, 움직임. 이것은 터너의 작품에서 가장 중요한 요소들이다. 해안을 향해 다가오는 요트는 지극히 평화로워 보이지만, 역동적인 에너지로 휩싸여 있다.

해변으로 다가오는 요트 | Yacht approaching the coast | 캔버스에 유채 | 1835

그것은 거대한 빛의 덩어리였다. 회색빛 바다 저편에서 한순간에 확, 하고 덮쳐오듯 일어난 빛이었다. 그리고 모든 것이 끝났다. 살아 있는 모든 것은 '무無'가 되었다. '무'라는 것은 아무것도 없는 것이니까 '되었다'라는 말은 어울리지 않지만. 물론 나 자신도 완벽하게 사라졌다. 내 의식은 완벽히 텅 비었다.

그 바닷가에서, 세계의 끝이 시작된다고 사람들은 말했다. 우리는 모두 그것을 보러 갔다. 위험이나 불안의 요소는 어디에도 없었으며, 대기중에는 '궁극의'라는 수식어가 어울릴 만한 절대적인 평화가 감돌았다. 우리에게는 더이상 닥쳐올 미래가 없었고, 때문에 절망에 대한 불길한 예감이나 두려움은 우리의 정신으로부터 완전히 제거되었다.

어쩌면 인류가 막연하게 기다려온 행복의 모습은 이런 것이 아니었을까, 하고 나는 생각했다. 잠시 머물렀다 사라지는 사랑이나 평화 같은 것은 인간에게 궁극의 평화를 가져다주지 못한다. 이제 모든 것의 끝이 시작되는 바닷가에서, 우리는 비로소 안도의 한숨을 내쉬며 길고 고통스러운 삶에서 풀려나게 된 것을 기뻐하고 있었다.

> 종말이 있기 하루 전, 거리에는 웃음이 넘쳐흐른다. 전에는 한 번도 말을 주고받은 적이 없던 이웃들이 서로서로 친구처럼 맞이하고 옷을 벗고 분수에서 물놀이를 한다. ……하루 남은 세계에서 이들은 평등한 것이다. / 세계가 끝나기 일 분 전에는 다들 미술관 광장에 모인다. 남자, 여자, 아이들이 거대하게 원을 이루고 서서 손을 잡는다. 움직이는 사람은 아무도 없다. 말하는 사람도 없다. 그지없이 조용해서 오른쪽이나 왼쪽에 서 있는 사람의 가슴이 뛰는 소리를 들을 수 있을 정도이다. 이것이 세계의 마지막 일 분이다. / 마지막 순간이 되니 마치 모두 함께 손을 잡고 토파즈 봉우리에서 뛰어내린 것 같다. 종말은 다가오는 땅바닥처럼 밀려온다. 시원한 공기가 스쳐 지나가고 몸은 무게가 없다. 말 없는 수평선이 몇 킬로미터에 걸쳐 펼쳐져 있다. 그리고 그 아래로, 광대한 눈밭이 이 분홍빛 생명의 원을 감싸려고 점점 가까이 달음질쳐온다.
>
> —『아인슈타인의 꿈』(앨런 라이트맨 지음, 권국성 옮김, 예하, 2001) 중에서

터너의 「해변으로 다가오는 요트」라는 그림은, 내게 두 가지 코드로 다가왔다. 하나는 언젠가 내가 꾸었던 '세계의 끝이 시작되는 곳에 대한 꿈' 이고, 다른 하나는 매사추세츠 공과대학의 물리학 교수, 앨런 라이트맨이 쓴 소설 『아인슈타인의 꿈』에 나오는 '세계의 종말에 대한 이야기' 이다. 꿈을 꾼 것이 먼저인지, 책을 읽은 것이 먼저인지는 생각나지 않는다. 그러나 내 의식 속에서 이 두 가지는 단단한 연결고리를 갖고 있다.

그리고 터너의 그림은, 오래된 두 가지 코드를 선명하게 떠오르게 했다. 상상 속에서 존재하던 어떤 이미지가, 그의 그림으로 인해 확실한 형체를 띠게 된 것이다.

터너는 여행을 아주 좋아해서, 스코틀랜드, 아일랜드, 벨기에, 네덜란드, 독일, 이태리 등을 돌아다니며 청년기를 보냈다. 그가 파리를 처음으로 방문한 것은 1802년이었는데, 루브르 박물관에서 바다를 소재로 그린 그림들을 보고 깊은 인상을 받았다. 그가 빛에 관심을 갖게 된 것은 이 시기부터였으며, 독자적인 세계를 구축하기 시작한 것도 이때부터이다.

터너는 자연을 소재로 한 풍경화를 주로 그렸는데, 자연의 일부를 스케치하는 것에 그치지 않고 그 속에 있는 우주의 에너지를 표현했다. 그의 작품들이 몽환적으로 느껴지는 것은, 그 속에 리얼리티와 환상이 공존하기 때문이다.

그래, 내가 본 것은 바로 그것이었다. 우주의 눈부신 에너지였다. 거대하고 압도적인 폭발 직전의 에너지, 모든 것을 무無로 만들어버리는 절대적인 힘. 그 앞에서 세계의 끝 같은 것은 너무나 사소한 일이다. 세계가 끝난들 그게 무슨 상관이야, 라는 식이 되어버린다.

존재는 희미해지고 절망과 희망은 평등해진다. 절대적이고 궁극적인 것 앞에서 고뇌는 무용지물이다. 세계의 끝은 재앙일 뿐이라고 믿는 당신은 이런 내 말에 전혀 동의하지 않겠지만, 적어도 터너의 이 그림은 이토록 아름답지 않은가. 이 속에 담겨 있는 이 위대한 우주의 에너지는.

가장 절망적인 순간에 나는 늘 그 꿈을 떠올린다. 모든 것이 끝났으며 이제 남은 것은 시작밖에 없다, 라고 생각하면 마음은 그럴 수 없이 가벼워진다. 나는 깃털처럼 가벼운 존재가 되어 우주의 에너지가 변화하는 대로 몸과 마음을 맡긴다.

인간인 우리는 대체로 '모든 것의 끝' 을 모르고 살아가지만, 인간이기 때문에 그것을 상상하고 느낄 수는 있는 것이다. 끝을 체험하는 일, 그건 표현할 수 없는 환희다.

색채의 시작 | Color begining | 수채 | 1819

터너는 유화뿐 아니라, 아름다운 수채화들도 많이 남겼다.

가벼운 입김으로도 날아가버릴 듯한, 손을 대면 흩어질 듯한 아름다움이다.

호수 위에 지는 석양 | Sun setting over a lake | **캔버스에 유채** | 1840

터너가 생존했을 때, 그의 작품을 이해하는 사람은 거의 없었다.
그는 시대를 너무 앞서 갔다. 그러나 지금 그는 영국에서
가장 훌륭한 화가 중의 한 명으로 꼽히고 있다.
터너는 대범하고 자유분방한 터치로, 순간적인 이미지를 폭발시킨다.

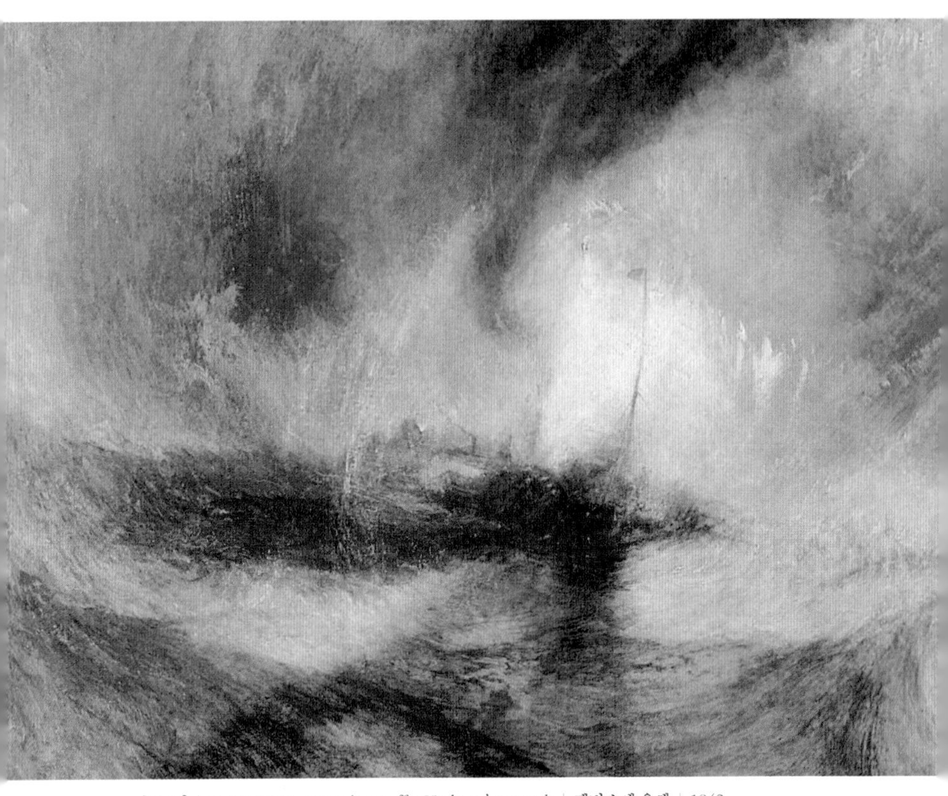

눈보라 | Snow Storm, steam boat off a Harbour' s mouth | **캔버스에 유채** | 1842

이 그림을 그릴 당시, 터너는 예순일곱 살이었다.

그는 폭풍우에 휘말린 증기선의 사실적인 이미지를 얻기 위해,

비바람 몰아치는 날, 네 시간 동안 증기선 선교에 매달려 있었다고 한다.

평화-수장 | Peace - Burial at sea | 캔버스에 유채 | 1842

그가 서 있는 곳은 리얼리티와 판타지의 중간 지점이며,
이 세계에서 저 세계로 넘어가는 교차로이다. 때문에 나는 이 그림의 제목을
「평화 - 수장」 또는 「평화 - 바다에 묻다」, 이 두 가지로 해석하고 싶다.

little more

여기, 서른 가지의 세계가 있다 ● 기계시간과 체감시간이 있는 세계 ● 위로 올라갈수록 시간이 천천히 흐르는 세계 ● 원인과 결과가 전혀 다른 세계 ● 종말이 닥친 마지막 하루의 세계 ● 기억이 없는 세계 ● 집이나 건물들이 바퀴를 달고 달리는 세계 ● 시간이 양이 아니라 질로만 가늠되는 세계…… ● 앨런 라이트맨의 『아인슈타인의 꿈』은 물리학 서적도 아니고 아인슈타인의 전기도 아니다 ● 소설이라고 하기에는 너무나 시적이고 시라고 하기에는 너무나 동화적인 이 책 안에는, 시간에 대한 서른 개의 아름다운 가설이 담겨 있다 ● 나는 행복하게도 이 책을 선물로 주고 싶은 사람을 열 명 이상 만났으며, 그들은 모두 이 책을 사랑해주었다 ● 우리나라에서는 7년 전쯤 출간되었다가 출판사가 사라지는 바람에 곧 절판되었는데, 다행히 지난해에 다른 출판사에서 다시 이 책을 펴냈다.

보컬리스트이자 송라이터이자 드러머인 테리 드래이퍼Terry Draper를 주축으로 하여, 존 월로청크John Woloschunk와 디 롱Dee Long이 함께 만든 캐나다 출신의 3인조 프로그레시브 록밴드 클라투Klaatu • 1951년 작 영화에 등장하는 로봇 외계인의 이름에서 밴드 이름을 따왔다는 이들은, 데뷔 초기에 비틀즈가 재결합한 밴드라는 루머로 인해 더욱 유명해졌다 • 멤버들의 신상을 공개하지 않고 공연도 하지 않았던 클라투는 2집 앨범 이후 그 정체가 밝혀지면서 비틀즈 매니아들에게 실망을 안겨줌과 동시에, 어정쩡한 댄스곡들을 발표하면서 위기를 맞아 결국 해체되고 말았다 • 모두 다섯 장의 앨범이 발매되었는데, 그중 완성도 있는 앨범으로 평가받고 있는 것은 1집 『3:57 EST ; Klaatu』와 2집 『Hope』이다 • 이 앨범들을 들어보면, 내가 왜 터너의 그림을 이야기하다 갑자기 클라투 운운하고 있는지, 그 이유를 알게 될 것이다.

Henri de Toulouse-Lautrec

앙리 드 툴루즈 로트레크 Henri de Toulouse-Lautrec, 1864~1901, 프랑스

파리의 환락가 몽마르트르에 아틀리에를 차리고 그후 13년 동안 술집, 매음굴, 뮤직홀 등의 정경을 소재로 삼아 정력적으로 작품을 제작했다. 처음에는 풍자적인 화풍으로 사람들의 관심을 끌었고, 유화와 더불어 석판화도 차차 높은 평가를 받았다. 그의 날카롭고 박력 있는 소묘는 근대 소묘사에서 중요한 위치를 차지한다. 그런 소묘의 힘에 바탕을 둔 유화는 어두우면서도 신선하고 아름다운 색조와 독자적인 작풍으로, 인생에 대한 그의 통찰과 깊은 우수를 공감하게 한다.

물랑루즈의 즉흥곡

거울 앞에 서서 옷매무새를 가다듬는 여인과 그를 지켜보는 남자.
그들을 휘감고 있는 오렌지색과 망설임 없는 터치의 굴곡이
강렬한 인상을 남긴다. 1890년에서 96년 사이, 로트레크는
물랑루즈를 소재로 30점 이상의 작품들을 제작했다.
그가 관심을 가진 것은 물랑루즈에서 일하고 있는 여인들과
그곳을 들락거리는 사람들의 모습이었다.

여성에 대한 탐구 | Study for 'Elles' (Woman in a Corset) | **캔버스에 초크, 유채** | 1896

내가 기억하고 있는 내 최초의 소원은 손가락이 길어지는 것이었다. 내 손가락들은 작고 귀여웠지만, 피아노를 치기에 적당한 손가락이 아니었다. 도에서 도까지도 닿지 않았다. 어떻게 하면 손가락이 길어져서 도에서 도까지 닿을 수 있을까, 하고 고민하며, 나는 날마다 손가락을 쭉쭉 잡아당기곤 했다. 도에서 도까지 충분히 닿게 되고, 도에서 레까지, 좀더 애쓰면 도에서 미까지도 닿을 만큼 손가락이 길어졌을 때, 나는 피아노를 더이상 치지 않게 되었다.

나는 피아니스트가 되고 싶지도 않았고, 예쁜 드레스를 입고 콩쿠르에 나가고 싶은 마음도 없었다. 열네 살에 피아노를 그만둔 이후, 십 년이 훨씬 넘은 세월 동안 피아노를 잊고 살았다. 하지만 슈베르트의 즉흥곡을 듣고 있으면, 나는 피아노를 치고 싶다는 강한 욕구에 사로잡힌다.

그의 아버지는 부유했고 미남이었으며 그의 어머니는 아이들에게 헌신적인 여자였다. 그러나 어린 로트레크는 자주 아팠다. 열두 살에 그의 왼쪽 다리가 부러졌고 열네 살에 오른쪽 다리가 부러졌는데, 두 다리 모두 뼈가 제대로 붙지 않았다. 그의 다리는 성장을 멈추었다. 어른이 되자 그는 비정상적으로 짧은 다리를 갖게 되었다. 로트레크의 키는 152센티미터에서 더이상 자라지 않았다.

눈이 부시다. 캠퍼스는 온통 하얀 눈으로 뒤덮였는데, 그 위로 지나치게 밝은 햇살이 쏟아져내린다. 눈빛에 반사된 햇살이 얼음의 날카로운 날처럼 마음을 찌른다. 그 시절에는 모든 사람이 불행하였다. 이유도 설명하지 않은 채, 우리들은 종종 서로의 어깨를 끌어안고 눈물을 터뜨렸다. 사람들은 모두 견딜 수 없는 고통을 끌어안은 채, 의미도 모르는 인생을 살아가고 있었다. 인생이 이렇게 불행한 것이라면 하나님, 어째서 우리들이 태어났나요.

그렇게 헤어지고 난 밤이면, 우리는 각자 행복한 죽음을 꿈꾸었다. 눈들은 밤새 더욱 단단해지고, 다음날 아침에는 여전히 햇살이, 내 눈꺼풀을 뚫고 각막을 찔러댔다. 햇살조차 축복하지 못했던 날들. 낮이면 토굴 같은 동아리방에 모여 아버지에 대한 시를 쓰고, 밤이면 그걸 찢어서 불태워버렸다. 간혹 나이든 선배들은 우리에게 충고했다. 무엇이든 마음에 담아두는 것은 고통이라고. 우리들 마음은 이토록 텅 비어 있는데.

그해 겨울, 남자 친구들은 군대로 떠났다. 남은 사람들은 밤 늦은 거리에서, 목이 터져라 노래를 불렀다.

> 해가 지면 로트레크는 몽마르트르의 카바레 '물랑루즈'로 가서, 대기실에 있는 여인들을 만났다. 공연이 시작되면 그는 테이블 하나를 차지하고 앉아, 술을 마시며 그녀들을 그렸다. 그러나 그가 벗어날 수 없었던 것은 육체에 대한 콤플렉스였고, 사람들의 비웃음으로부터 자신을 지키기 위해 술을 마셨다. 너무 많은 술을 마셨다.

그리고 우리는 가끔 클래식을 틀어주던 그 카페를 찾았다. 들어봐, 이 놀라운 음들을. 나는 의자에 가만히 등을 기대고 까맣게 어둠이 내려앉은 거리를 내려다보았다. 이상한 일이었다. 나를 그 자리에 놓아두고, 그들의 이야기가, 그들의 음악이, 그들의 거리가, 천천히 공중을 날아다니고 있었다. 어쩐 일인지 그것은 한꺼번에 마구 뒤섞인 샐러드 같았다. 미플랫과 파, 파, 지평선, 솔 도시 라파, 미 솔파 미솔, 하이든, 호두까기 인형, 축제가 있었던, 솔도시, 라파, 형, 술 좀 더 줘, 거리에는 낯이 익은, 초콜릿 파는 아줌마가 오뎅을 먹고 있었다. 나는 눈을 감았다. 감은 눈 안에서 이상한 빛들이 날아다녀, 이것 봐, 아름답지? 나는 자꾸만 목이 말랐다. 다, 끝났을 거야, 이제, 다시는 이런 시간들, 슈베르트 때문이야, 모든 것이.

> 알코올 중독과 무절제한 생활은 로트레크를 성격 파탄으로 몰아갔다. 서른다섯 살에, 그는 정신병원에 감금되었다. 그곳에서 그는 기억을 더듬어, 서커스 연작 서른여섯 장을 크레용으로 그렸다. 퇴원 후에 다시 술을 마시기 시작했으며, 서른여섯 살에 그의 두 다리는 마비되었다.

도에서 미까지 닿을 만큼 충분히 길어진 손가락으로, 나는 이제 피아노를 치지 않는다. 인생은 어차피 그런 거야. 나는 삼류연극에 나올 법한 대사를 뱉어본다.

기다리는 것은 언제나 오지 않는다. 기다리는 동안에는, 절대로 오지 않는다. 만약 당신이 무언가를 기다리는데 그것이 왔다면, 그건 거짓이다. 무엇인가가 제때 오는 일은 없다. 그것은 언제나 너무 빨리, 혹은 너무 늦게 온다. 너무 빨리 오는 것들을 나는 알아보지 못했고, 너무 늦게 왔을 때, 나는 아무 것도 할 수가 없었다.

슈베르트의 「즉흥곡 op.90(D899)」은 알레그로 몰토allegro molto, 모데라토moderato, 알레그로allegro, 안단테andante, 알레그레토allegretto로 완결된다. 슈베르트는 서른한 살에 죽었다. 그는 알레그레토allegretto일 때, 완결되었다.

서른일곱 살에, 로트레크는 죽었다. 그의 유해는 화장터에서 한 줌의 가루가 되었다. 그는 그것으로 완결되었다. 그후 그의 그림과 포스터들, 특히 물랑루즈를 배경으로 한 작품들은 높은 가격으로 팔려나갔다.

발랑탱이 훈련시키고 있는 새로운 무용수 | Training of the new girls by Valentin at the Moulin Rouge | **캔버스에 유채** | 1889~90

발랑탱이라고 불리는 남자가 새로운 무용수를 훈련시키고 있다.
그 앞으로 귀부인처럼 보이는 여인이 걸어간다. 두 가지의 다른 삶이
교차되는 시점, 불안하면서도 부드러운 색채 안에서 인생은 흘러간다.

르 디방 자포네 | Le Divan Japonais | **석판화** | 1893

로트레크는 물랑루즈의 포스터를 비롯한 여러 가지 포스터들을 제작했다.
「르 디방 자포네」 포스터의 모델이 된 여인은 물랑루즈의 댄서
잔 아브릴. 그녀는 라 굴뤼, 이베트 길베르와 함께 로트레크의 그림에
자주 등장하는 모델 중 한 명이다.

화장 | La toilette | **카드보드에 유채** | 1889

1889년 10월에 개장한 물랑루즈는 사교계 인사들이 자주 드나들던 인기 있는 카바레였다. 중앙에는 무도장이 있고 위쪽에는 관객을 위한 회장이 마련되어 있었다고 한다. 또한 뒤쪽에는 정원을 만들어 손님들이 바람을 쐬거나 산책을 할 수 있게 했다. 대기실에서 잠깐 휴식을 취하는 듯 보이는 여인의 뒷모습은, 반듯하면서도 쓸쓸한 이미지를 던져준다.

모자 만드는 여인 | The Milliner | **보드에 유채** | 1900

몽마르트르에서 여성용 모자점을 경영하던 르네 베르는 로트레크의 오랜 친구이자 화가 조제프 알베르의 연인이었다. 알베르 또한 로트레크에게 여러 가지 도움을 준 친구였다. 로트레크는 르네 베르를 주인공으로 한 몇 장의 소묘와 알베르를 그린 석판 초상화(이 초상화에는 '훌륭한 판화가' 라는 제목이 붙어 있다)를 남겼다. 자신의 가게에서 모자를 정리하는 르네 베르의 아름다운 옆모습과 금발머리가, 밝은 빛을 받아 부드럽게 빛나고 있다.

little more 좋아하는 작곡가를 순서대로 말하라면 바흐, 베토벤, 슈베르트라 대답하겠지만, 봄밤에 가장 먼저 생각나는 사람은 역시 슈베르트이다 ● 어른이 된 이후 6개월 정도 피아노를 다시 배운 적이 있었는데, 그때 내 눈에 가장 아름답게 비친 악보도 슈베르트의 것이었다 ● 「즉흥곡 op.90」의 2악장 안단테를 건반으로 하나하나 짚어갈 때면, 마음은 이제 막 사랑에 빠진 듯 애틋하고 말랑말랑해진다 ● 베토벤과 동시대에 태어나 베토벤의 그늘에 가린 채 짧은 삶을 보낸 슈베르트는, 즉흥적인 악상을 자유롭게 풀어헤친 8개의 즉흥곡을 남겨두었다 ● 그것은 천성적인 로맨티스트만이 창조해낼 수 있는, 낭만적이고 섬세한 선율들로 가득 차 있다.

겨울

잎은 지고 새는 떠나고 차가운 서리 내려
얼어붙은 숲속에서 너는 말했지,
겨울은 길고 영원히 끝나지 않을 것이라고
바람으로 털실을 짜서 너의 빈 가지 덮어주면
얼마나 좋을까 생각만 했지,
내가 너의 봄이 된다면 얼마나 좋을까

내 마음 윙윙 소리내며
빈 가지 사이를 맴돌기만 하지

사진ⓒ김원

Jan Vermeer

얀 베르메르 Jan Vermeer, 1632~75, 네덜란드

네덜란드의 델프트에서 출생했다. 생애에 대해서는 자세한 것이 거의 알려져 있지 않으며, 19세기 중반에야 겨우 진가를 인정받았다. 화가의 아들로 태어나 1655년 아버지가 세상을 떠난 후 직업을 계승했다. 화가로서는 카렐 파브리티위스의 영향을 받았는데, 두 사람 사이에 사제관계가 있었는지는 분명하지 않다. 색조가 아주 뛰어났으며 적, 청, 황 등의 정묘한 대비로 그린 실내정경은 마치 개인 날 북구의 새벽 대기를 생각나게 한다.

나는 너에게
편지를 쓴다

17세기 네덜란드의 화가 베르메르는 혼자 있는 여자를 주로 그렸다.
그리고 그녀들은 대부분 창가에 서 있다. 사랑에 빠진 여자, 악기를 연주하는 여자, 일하는 여자, 편지를 읽거나 쓰는 여자……. 그들은 언제나 실내에 머무른다.
창을 통과하는 빛만이 그들의 모습을 포착한다.

열린 창가에서 편지를 읽고 있는 소녀 | Girl reading a letter at an open window | 캔버스에 유채 | 1657

편지를 썼다. 이제 이렇게 이야기해도 되겠지. 그 시절의 너에게, 그 시절의 나는 편지를 썼다. 편지를 쓴다는 것이 그렇게 고통스러운 일일 수도 있다는 것을 처음 알았다. 그러나 편지를 쓰지 않고 침묵하는 일은, 편지를 쓰는 일보다 몇 배 더 고통스러웠다. 마음에 범람하는 이야기들을 나는 어떤 식으로든 뱉어내야 했다. 그리고 물론 그 이야기는, 세상에 그 모습을 드러내는 순간, 칼날이 되고 송곳이 되어 나의 심장을 찔렀다.

……오히려 어떤 것들은 그때부터 시작되기도 하지. 마치 지금까지 아무런 위험이 없던 폭탄이었는데, 거기에 시한장치를 하는 것과 같아. 그것은 글을 쓰기 시작하는 그 순간부터 째깍째깍 하는 소리와 함께 터져버릴 준비를 해. 그러니까, 어쩌면 나는 그 시한폭

탄을 가동시켜버린 건지도 모르겠어. 그리고 나는 내 손으로 만들어 내 손으로 가동시킨 폭탄과 함께 산산조각 날지도 몰라……

너에게 보낸 첫번째 편지에서 나는 그렇게 썼다. 훗날, 장편소설 한 권의 분량이 될 만큼의 편지를 보낸 후, 마지막 편지를 써야 할 시간에 이르렀을 때, 첫번째 편지에 씌어진 이 구절을 다시 읽고 소름이 끼쳤다. 아직 아무것도 시작되지 않았던 그때, 나는 어째서 그토록 정확한 예감을 했던 것일까. 실제로 내가 첫번째 편지를 쓰기 시작한 순간 시한폭탄은 가동되었고, 마지막 순간에 나는 그 폭탄과 함께 산산조각이 났다. 지금 여기 있는 것은 그때의 마음을 잃어버린 나. 그 시절의 나는 오래 전에 사라졌다.

……마음속에서 알 수 없는 생각의 알갱이들이 모래알처럼 흩어지는 것이 느껴져. 사각거리는 모래알 같은 생각들은 언젠가 먼지가 되어 세상의 바람에 실려 어디론가 흘러가겠지. 언제나 그러했듯이. 나는 그것이 불행한 일이라고 생각하지 않아……

확실히, 불행은 아니었다. 언제나 그러했듯이, 사랑이 나의 인생을 송두리째 바꾸어놓거나 지울 수 없는 상처를 남기는 일 같은 건 일어나지 않았다. 시간이 흐르자 그 추억들은, 그런 걸 추억이라고 부를 수 있을지 모르겠지만, 어쨌든 그것은 모래알처럼 흩어져서 세상 속으로 흘러들어갔다. 아주 가끔 대기중에 섞여 있던 추억의 파편들은, 먼지처럼 부서진 그 조각들은, 내 눈 속을 파고들기도 하지만. 그래서 몇 방울의 눈물과 함께 다시 흘러나오기도 하지만.

……누군가가 나의 마음을 흔들어놓는 일 같은 건, 얼마든지 일어나지. 그리고 나는 생각해. 언젠가는 끝이 날 거야. 그렇다면 지금 이 순간은 무슨 의미가 있을까. 나는 행복하고 즐겁지만 언젠가는 그것이 고통이 될 테고, 또 언젠가는 씻은 듯이 잊어버릴 테고, 어느 순간 내가 모든 걸 잊었다는 것을 깨닫고 고통스러워할 텐데. 그래서 나는 마음을 단정하게 접고, 나에게로 돌아와. 세상에서 내가 가장 사랑하는 것은 나 자신이고, 나를 가장 사랑하는 것도 나 자신이라고 생각하면서……

창가에서 편지를 읽고 있는 이 소녀는 알고 있을까. 사랑을 고백하는 편지도 이별을 선고하는 편지도, 세월 속에서 모두 같은 빛깔이 되어버린다는 것을. 그토록 기다리던 그의 편지가 들어 있는 우편함 앞에서 기쁨으로 소스라치던 세포들은, 그날이 채 가기 전에 모두 죽어버린다는 것을. 어떤 사랑은 시작되는 순간, 마지막을 향해 치닫는다는 것을. 폭탄의 뇌관을 제거할 수 있는 방법 같은 건 죽었다 깨어나도 알 수 없다는 것을.

행복한 듯 또한 우울한 듯한 저 표정과, 아침인 듯 또한 저녁인 듯한 빛 속에서 시간은 커튼처럼 무겁게 드리우고 있다. 영원히 고정되어도 좋을 한순간은 그렇게 기억의 한편에 묻힌다.

……운명이란 우리가 짐작할 수 없을 만큼 가혹하고, 또 때로는 주제넘게 친절하여, 우리는 아무것도 마음대로 할 수가 없어……

나는 너에게 편지를 썼다. 이제 말해도 되겠지. 너를 향해 폭주하던 나는 마지막 편지를 쓰는 순간 산산조각 나고, 너를 잃은 나는 너를 까맣게 잊어버리고, 가혹한 운명은 내게 친절한 손길을 뻗어 네가 없는 세계로 나를 데리고 갔다. 짙은 갈색 편지지, 새들이 그려진 우표, 골목 어귀에서 나를 기다리던 빨간 우체통, 날짜를 꼽아보던 나의 손가락들……. 난 이제 불행하지 않으니, 그들은 영원히 사라지지 않아도 좋았을 텐데. 이렇게 단정하고 단단한 풍경으로 남아 있어주어도 좋을 텐데.

창가에서 편지를 읽고 있는 이 소녀는 더이상 나를 슬프게 하지 못한다.

여자 뚜쟁이 | The procuress | 캔버스에 유채 | 1656

베르메르의 작품들은 대체로 연도가 불분명하다.

「여자 뚜쟁이The Procuress」(1656), 「지리학자The Geographer」(1668~69)

「천문학자The Astronomer」(1668)라는 세 작품에만 날짜가 씌어 있다고 한다.

「여자 뚜쟁이」라는 제목의 이 그림 중,

왼쪽에 있는 남자가 베르메르 자신이라는 이야기도 있다.

와인 잔 | The glass of wine | 캔버스에 유채 | 1658~60

'와인으로 여자를 유혹하는 남자' 가 등장하는 작품 중의 하나이다. 술은 여자를 타락시키는 첫번째 단계이며, 여자는 절대 술을 마셔서는 안 된다고 그는 생각했던 것 같다. 와인을 마시는 여자를 바라보고 있는 남자의 표정은 "잘 하고 있군. 넌 이제 내 손에 넘어온 거야" 라고 말하는 듯하다.

우유 따르는 여자 | The milkmaid | 캔버스에 유채 | 1658~60

차가운 블루, 하얀색과 노란색은 베르메르가 좋아했던 색채들이다.
역시 창을 통과한 빛이, 여인의 목 언저리에서 투명하게 반짝인다.

음악 수업 | The music lesson | 캔버스에 유채 | 1662~65

그가 묘사하는 실내는 한결같이 풍요롭다. 고급스러운 테이블보, 아름다운 바닥장식, 사치스러운 가구, 개인교수에게 레슨을 받고 있는 여자…….
그러나 이런 그림을 그렸던 베르메르는, 마흔세 살에 빚과 아내와 열한 명의 아이들을 남겨놓고 병으로 세상을 떠났다.

델프트 정경 | View of Delft | 캔버스에 유채 | 1660~61

어떤 이들은, 이 그림을 베르메르 최고의 걸작으로 꼽기도 한다.
손을 대면 쑥 빨려들어갈 것 같은 배들의 정박지에는
누군가를 보내는, 또 누군가를 기다리는 사람들이 서성거린다.

little more

……생각해보면, 이토록 완벽하게 나의 의식을 지배해온 것이 너라는 사람인지, 또다른 나인지도 알 수가 없어. 누가 알겠어. 우리가 사는 이 세상이 허구인지 진실인지, 내가 살아 있는 것이 꿈인지 현실인지, 우리가 듣는 음악들이 존재하는지 존재하지 않는지, 눈에 보이는 것들이 과연 믿을 만한 것들인지, 무엇으로도 증명할 수 없는 것들.

하지만 내가 유일하게 아는 것이 있어.
나는 행복하고 싶어. 태어나서부터 지금까지, 쭉 그러고 싶어했다고 생각해. 사람은 무엇으로 행복해지는 걸까? 그런 생각을 언제나 하고 있었어.

그리고 지나간 시간 속에서, 나는 행복했어. 너에게 편지를 쓰면서, 너의 편지를 기다리면서, 우체국을 가면서, 우표를 사면서, 너의 편지를 기다리면서, 전화를 걸면서, 너의 꿈을 꾸면서, 깊은 밤 잠에서 깨어나 희미한 너의 목소리를 기억하면서, 모든 시간이 너를 통과할 때마다 나는 행복했어. 너를 알게 되어 나는 행복했어. 고마워…….

마지막 편지 중에서

Pablo Picasso

파블로 피카소 Pablo Picasso, 1881~1973, 스페인

91년간의 전 생애 중 80여 년을 미술에 바친 피카소는 회화, 조각, 소묘, 도자기, 시 등의 다양한 작품으로 20세기 현대미술의 발전에 크게 기여했다. 스페인의 말라가에서 출생하였으나 주로 프랑스에서 작품활동을 했다. 1907년에서 1923년경까지 브라크와 함께 입체파 운동을 전개했다. 만년에는 도자기 제작과 조각에도 정열을 쏟았으며, 석판화 제작도 많이 하여 이 영역에서 새로운 기법을 창안하기도 했다.

피카소의 마지막 이야기

청색 시대의 자화상 | Self-portrait in blue-period | 캔버스에 유채 | 1901

모든 것에는 시작이 있고 끝이 있다.

물론 여기서 '모든 것'이란 인간과 관계된 것을 말한다.

피카소의 이 그림을 보고 있자니, 이 당연한 사실이 눈물겹도록 실감난다.

피카도르 | Picador | 캔버스에 유채 | 1889

비틀즈의 멤버들 중 폴 메카트니는 비틀즈가 해체된 이후, '폴 메카트니 앤 윙즈Paul McCartney & Wings' 라는 그룹을 만들어서 활동했다. 이 멤버들이 어느 날 자메이카로 휴가를 갔다. 마침 근처에서는 영화 〈빠삐용〉을 촬영중이었다(옛날 옛적 일이네요……). 폴과 린다 부부는 더스틴 호프만 부부를 점심식사에 초대했다. 점심을 먹으면서 폴이 더스틴의 훌륭한 연기를 칭찬하자, 더스틴은 폴의 훌륭한 작곡 실력을 칭찬했는데(두 사람 모두 칭찬받을 만하지요), 이 말을 들은 폴은 더스틴에게 "노래를 만든다는 건 쉬운 일이죠"라고 대답했다.

이틀 후 두 사람이 다시 만났을 때, 더스틴은 폴에게 『타임』지를 내밀었다. 거기에는 피카소의 사망 기사가 실려 있었다. "이것으로도 노래를 만들 수 있나요?"하고 더스틴은 폴에게 물었다. 기타를 가지고 있던 폴은 즉석에서 노래를 만들었고, 「피카소의 마지막 이야기Picasso's last words」라는 제목을 붙였다. 이 노래는 '폴 메카트니 앤 윙즈'의 앨범 『밴드 온 더 런Band on the run』에 실리게 된다.

어느 12월, 집으로 돌아가는 길이었다. 나는 운전을 하고 있었는데, 마침 차 안의 CD 플레이어에 『밴드 온 더 런』 앨범이 걸려 있었다. 「피카소의 마지막 이야기」가 흘러나올 때쯤 볼륨을 높였고, 후렴구를 따라 부르는데, 갑자기, 아무런 전조도 없이, 눈물이 주르르 흘렀다. "Drink to me, drink to my health, You know I can't drink any more……"라는 구절이 내 가슴에 직통으로 내려꽂혔던 것이다. 나는 몹시 당황했다. 내 인생에서 음악을 듣다가 눈물을 흘리는 일은 쉽게 일어나지 않는다. 기껏해야 두세 번 정도가 고작이었고, 그것도 아주 먼 옛날의 일이었다. 그런데 나는 그날 저녁, 그 노래를 들으며, 운전에 방해가 될 정도로 눈물을 흘리고 있었다.

나는 할아버지가 된 피카소가 가까운 사람들과 함께 저녁식사를 하고 있는 모습을 상상했다. 그가 잔을 높이 들며 말했다.

"나를 위해 건배를, 나의 건강을 위해 건배를. 나는 더이상 술을 마시지 못하니, 당신들이 나를 위해 건배를."

피카소는 이 말을 남기고 먼저 일어나, 잠자리에 들었다. 그리고 조용히 죽음을 맞았다. 행복한 죽음이었다. 그는 요절하지도 않았고, 사람들의 인정을 받지 못해 불행하게 살다간 화가도 아니었으며, 외로운 죽음을 맞지도 않았다. 그때까지 단 한 번도, 피카소는 나의 인생에 기억할 만한 영향을 미친 적이 없었다. 그런데 나는 그 노래의 후렴구를 끝까지 따라 부르지 못한 채, 울고 있었다.

피카소. 20세기의 가장 위대한 화가. 고정관념을 깨뜨린 천재로 칭송받은 인물. 페르낭드 올리비에, 마르셀 에바, 올가 코흘로바, 마리 테레즈 발터, 프랑수아즈 질로, 자클린 로크라는 이름을 가진 여자들을 사랑했던 남자. 당대에 부와 명예를 얻은 행운아. 하지만 그의 그림은 한 번도 나를 감동시키지 못했다. 그의 그림은, 내가 이해하고 받아들이기에 언제나 너무 어려웠다. 그의 연인들은 진실로 그의 작품세계를 이해했을까. 혹은 그의 절친했던 벗들, 그를 위해 시를 썼던 폴 엘뤼아르나 자크 프레베르는 그 열정적인 업적 뒤에 숨겨진, 그의 내면세계를 들여다보았을까.

그러나 폴 메카트니의 노래를 들으며, 나는 피카소 역시 우리와 마찬가지로, 이 세상을 살다가 죽음을 맞이했다는 사실을 알게 된다. 그렇게 해서 나는 피카소의 그림들을 다시 보기 시작한다. 청색시대와 장밋빛시대의 작품들, 「아비뇽의 처녀들」과 「게르니카」, 그가 남긴 조각들…….

그가 남긴 훌륭한 작품들은 수없이 많다. 그런데 나는 부적

절하게도, 그가 여덟 살 때 그렸다는 「피카도르」를 고른다. 그의 첫 작품으로 알려진 「피카도르」를, 피카소는 평생 동안 간직했다고 한다. 나는 어쩌면 이 그림 속에서 막 시작되고 있는 '어느 천재 화가의 삶' 에 이끌린 것인지도 모른다. 그것은 불친절하고 서툴지만, 생명력으로 가득 차 있다. 만약 「피카소의 마지막 이야기」를 알지 못했다면, 나는 굳이 이 그림을 고르지 않았을 것이다.

죽음이란 어쩌면, 모두에게 '굿나잇' 이라 말하고 먼저 잠자리에 드는 일일지도 모른다. 그것은 '어떤 경고도 없이 다가오는 것' 이고, '먼저 가서 당신을 기다리는 것' 이다. 그리고 죽음이란 '더이상 술을 마시지 못하는 것' 이다. 그러니 이제 남겨진 당신은 나를 위해 건배를…….

잠자는 농부 | Sleeping peasants | 템페라, 수채, 연필 | 1919

이 평화는 너무나 따뜻하다.

자연을 거스르지 않으니 유연하지 않은 곳이 없다.

곡예사의 가족 | The family of Saltimbanques | 캔버스에 유채 | 1905

이 그림을 본 릴케는, '우리들보다 조금은 더 덧없어 보이는 사람들'
이라고 썼다. 피카소의 장밋빛시대에는,
늘 서커스와 서커스를 하는 사람들이 있었다.

little more

피카소의 마지막 이야기
Picasso' s last words(Drink to me)

The grand old painter died last night
위대한 노화가가 어젯밤 세상을 떠났지

His paintings on the wall
그의 그림들은 벽에 걸려 있는데

Before he went he bade us well
떠나기 전에 그는 우리에게 인사를 했어

And say good-night to us all.
모두에게 잘 자라고 말했지

Drink to me, drink to my health,
나를 위해 건배를, 나의 건강을 위해 건배를

You know I can' t drink any more
난 더이상 술을 마시지 못하니

Drink to me, drink to my health,
나를 위해 건배를, 나의 건강을 위해 건배를

You know I can' t drink any more
난 더이상 술을 마시지 못하니

3 o' clock in the morning
새벽 세 시

I’ m getting ready for bed
난 이제 자러 가야겠어

It came without a warning
그건 어떤 경고도 없이 왔지

But I’ ll be waiting for you baby
하지만 난 당신을 기다릴 거야

I’ ll be waiting for you there
그곳에서 당신을 기다릴 거야

So drink to me, drink to my health,
그러니 나를 위해 건배를, 나의 건강을 위해 건배를

You know I can’ t drink any more
난 더이상 술을 마시지 못하니

Drink to me, drink to my health,
나를 위해 건배를, 나의 건강을 위해 건배를

You know I can’ t drink any more
난 더이상 술을 마시지 못하니

폴 메카트니

그날 저녁, 피카소와 그의 아내 재클린은 그들의 친구들과 함께 저녁을 먹었다. 피카소는 기분이 아주 좋았다. “나를 위해 건배를, 나의 건강을 위해”, 그는 외쳤고, 친구들의 잔에 와인을 따라주었다. “난 더이상 마실 수가 없잖아”. 밤 열한 시 삼십 분, 그는 먼저 테이블을 떠났다. 그것이 피카소의 마지막 모습이었다.

李仲燮

이중섭 1916~56

호는 대향大鄕이며, 평양에서 출생했다. 일본 도쿄문화학원 미술과에 재학중이던 1937년 일본의 전위적 미술단체의 〈자유미협전〉에 출품하여 태양상을 받고, 1939년 자유미술협회의 회원이 되었다. 1945년 귀국, 원산에서 일본 여자 이남덕(본명 山本方子)과 6·25전쟁 때 월남하여 종군화가 단원으로 활동했으며 신사실파 동인으로 참여했다. 부산, 제주, 통영 등지를 전전하며 재료가 없어 담뱃갑 은지를 화폭 대신 쓰기도 했다.

묶인 새

이중섭과 마사코 사이에는 세 아이가 태어났다.
그러나 첫째 아이는 그가 서울에 잠깐
다녀온 사이, 디프테리아로 목숨을 잃었다.
이후 두 아들 태현, 태성이 차례로 태어났으나
이 네 명의 가족이 모여 살았던 시간은
아주 짧았다. 이중섭의 그림에는 소나 물고기,
게와 어울려 노는 아이들이 자주 등장한다.
이 작품의 제목은 「물고기와 노는 세 어린이」
지만, 실제로 얼굴이 보이는 아이는 둘이다.
가만히 들여다보고 있으면
아주 묘한 느낌을 받게 된다.

물고기와 노는 세 어린이 | 종이에 유채와 연필

제주도, 이중섭과 그의 가족이 잠시 머물렀던 방

이중섭이 아내 마사코, 두 아들과 함께 제주도에 머물렀던 시간은 기껏 7, 8개월 정도였다. 이들 가족이 묵었던 집에는 지금도 당시 집주인이었던 할머니가 살고 계시며, 이들이 묵었던 방도 그대로 보존되어 있다. 네 사람이 다리를 뻗고 누울 수도 없을 만큼 작은 방이지만, 백열등 하나 달려 있는 그 방을, 지금은 이중섭의 영정이 지키고 있다.

나는 한때 여고생이었다. 당연한 일이지만. 그것도 아주 평범한 여고생이었다. 아니 평범하다기보다 전형적이라고 표현하는 것이 좋을지도 모르겠다. 선생님을 사모하고, 시집을 읽고, 굴러다니는 낙엽만 봐도 까르르 웃고, 좋아하는 연예인이 한둘쯤 있고, 늦은 밤에는 심야 라디오 방송을 듣고, 친구에게 죽음으로 우정을 맹세하던 여고생이었으니까. 어느 일본 시인의 말처럼 '자기사랑과 자학의 양극에서' 정신 못 차리고 헤매던 시절이었다.

나는 전형적인 여고생이었기 때문에, 가을에는 시집을 들고 혼자 바닷가를 찾아가기도 하고, 당시만 해도 문화의 불모지라 불리던 부산에서 가물에 콩 나듯 열리던 연극이나 전시회를 뭐가 좋은지도 모른 채 부지런히 쫓아다니기도 했다. 그리고 그때, 이중섭을 만났다.

〈이중섭전〉이 열리고 있던 그곳을, 나는 혼자 찾아갔다. 종이가 없어서 담뱃갑 속에 있는 은지에 그림을 그리던 가난한 화가. 내가 이중섭에 대해 알고 있었던 것은 그것이 전부였다.

그 시절의 나는 그림을 좋아하지 않았다. 난 태어나서 단 한 번도 '너는 그림을 잘 그리는구나' 라는 칭찬을 받은 기억이 없으며 초등학교, 중학교, 고등학교 12년 동안 미술실기 점수가 좋았던 적도 없었다. 차라리 내가 '칫, 난 그림 같은 것에는 흥미 없어' 라고 생각하고 무관심했다면 자존심이 덜 상했을 텐데, 어떻게든 좋은 성적을 받아보려고 기를 쓰고 노력했다는 것이 나를 더욱 비참하게 만들었다. 차라리 내 멋대로 아무렇게나 쓱쓱 그림을 그렸다면 좀 더 좋았을 텐데, 잘 그린다고 칭찬받는 친구들의 그림을 모방하려고 했다는 것이 더욱 치명적인 단점이 되었다. 물론 그걸 알게 된 것은 훨씬 나중의 일이지만.

그림에 대해 그렇게 자존심이 상한 채로 왜 이중섭의 전시회를 보러 갔는지 모르겠다. 유일하게 설득력이 있는 가정은, 이중섭의 사진 때문이라는 것이다. 사진에서 본 이중섭은, 한시절을 풍미하던 배우라고 해도 믿을 수 있을 만큼 수려한 외모를 지니고 있었다. 나는 거기에 반해버린 건지도 모른다. 게다가 그는 가난하고 불행하고 파란만장한 일생을 살다 요절한 천재였다. 이 정도면 감수성이 예민한 나이의 여고생을 끌어들일 만한 충분한 이유가 되지 않을까.

물론, 전시회는 재미가 없었다. 제대로 된 캔버스도 아니고, 흐물흐물하고 초라한 화폭에 비뚤비뚤한 터치로 그려진 소와 아이들과 게와 물고기를 건성으로 보면서 나는 심심한 발걸음을 옮기고 있었다. 그때 내 눈에 「묶인 새」라는 그의 작품이 들어왔다. 맹세컨대, 루브르 박물관의 「모나리자」 앞에서도 느끼지 못했던 열렬한 감정의 소용돌이를, 나는 그때 느꼈다.

그 그림의 세세한 부분들은 이제 기억나지 않는다. 너무 오래되어 빛이 바랜 것이다. 그러나 그 그림이 지니고 있던 희미한 생명의 기운 같은 것은, 아직도 생생하게 감지할 수 있다. 내 기억에 의하면, 그것은 낡고 오래된 종이 위에 연필로 그려진 그림이었다. 새 한 마리가 끈으로 묶여 있는 것이 전부였다. 새는 슬픈 듯이 하늘을 올려다보고 있었던 것 같은데, 그것도 정확하지는 않다. 그후 나는 여러 차례 그 그림을 찾아보았지만, 이중섭에 대한 자료를 아무리 뒤져봐도 그 그림만은 보이지 않았다.

그 한 장의 그림으로 인해, 내 인생은 조금 달라졌다. 나는 이중섭의 「묶인 새」가 내게 던진 열렬한 감정의 소용돌이가 무엇인지 알고 싶어졌다. 그래서 이중섭을 보고, 샤갈과 달리를 보기 시작했다. 대학에 들어가서는 화실에서 그림을 배우기도 했다. 그것은 일종의 호기심이었다. 내가 지니지 못했던 그림에 대한 강렬한 열정은 어떤 것인지, 세계를 형상화하는 화가들이 마음에 품고 있는 것은 무엇인지 궁금해 미칠 지경이었다. 그러나 결국, 나는 다른 모든 삶을 포기하면서까지 그림을 선택할 만한 재능도, 열정도 갖고 있지 않았다. 지금 내가 할 수 있는 것은 다만 그림을 보는 것뿐. 그들이 남겨놓은 세계의 한 자락을 붙잡고 그들이 지니고 있었던 열정의 한끝을 희미하게 감지하는 것일 뿐.

하지만 나는 죽었다 깨어나도, 이중섭의 삶을 이해할 수 없을 것이다. 그것은 내가 이해할 수 없는 거리에 놓여 있는, 질투와 동경과 안타까움으로 뒤범벅된 삶이다. 설사 내가 그와 같은 재능을 지니고 태어나 그와 같은 삶을 받게 된다 할지라도, 나는 이중섭처럼 살진 못할 것이다.

그러나 어쩌면 예술이란 건, 그래야 하는 게 아닐까. 난 예술지상주의자도 아니고 예술이 세상을 구원할 수 있다고 믿지도 않지만, 예술가들에게 있어 예술이란 목숨보다 높은 가치를 지녀야 하는 게 아닐까. 위험한 생각인지도 모르겠지만, 또 위험하면 어떤가. 어떤 예술이란 자기사랑과 자학의 양극을 오가며, 그 사이에서 아슬아슬한 줄타기를 하는 것이다. 그리고 나는 이렇게 멀리 떨어져, 그것을 열렬히 질투한다.

예를 들어 이런 삶에 대해.

중섭은 참으로 놀랍게도 그 참혹 속에서 그림을 그려서 남겼다. 판잣집 골방에서 시루의 콩나물처럼 끼어 살면서도 그렸고, 부두에서 짐을 부리다 쉬는 참에도 그렸고, 다방 한구석에 웅크리고 앉아서도 그렸고, 대포집 목로판에서도 그렸고, 캔버스나 스케치북이 없으니 합판이나 맨종이, 담뱃갑 은지에도 그렸고, 물감과 붓이 없으니 연필이나 못으로 그렸고, 잘 곳이나 먹을 것이 없어도 그렸고, 외로워도 그렸고, 부산, 제주도, 통영, 진주, 대구, 서울 등을 표랑전전하면서도 그저 그리고 또 그렸다. — 구상의 '이중섭에 대한 기술' 중에서

서귀포의 환상 | 나무판에 유채 | 1951

그는 1945년, 서른 살에 마사코와 결혼식을 올렸다.
마사코는 이중섭을 만나기 위해 혼자 현해탄을 건너 원산으로 왔다.
1951년 초, 이중섭은 두 아들과 마사코를 데리고 부산을 떠나
제주도로 건너갔다. 이들은 피난민에게 주는 배급과 고구마,
바닷가에서 잡은 게로 연명을 했지만 제주도의 따뜻한 날씨와
가족들이 함께 지낼 수 있는 손바닥만 한 방은 그에게
따뜻한 평화를 안겨주었다. 「서귀포의 환상」은 이 시기에 그려졌다.

도원 | 종이에 유채 | 1953년 무렵

계속되는 생활고로 인해 마사코는 두 아들을 데리고 일본에 있는 친정으로
건너가고, 이중섭은 부산, 통영, 진주 등을 전전하게 된다. 1953년, 이중섭은
가족들을 만나기 위해 제대로 된 여권도 없이 일본에 갔지만,
그곳에 머물 수 있는 형편이 아니어서 일주일 만에 다시 돌아온다.
이 그림은 통영에 머물던 시기에 그려진 것이라고 하는데,
물과 천도복숭아, 네 명의 남자아이들이 어우러진 이중섭의 '도원' 이다.

가족과 비둘기 | 종이에 유채 | 1956년 무렵

이중섭과 아내 마사코, 그리고 두 아들이 경쾌한 터치로 그려졌다.
그러나 이 시기에 이중섭은 영양실조와 간염으로 고통을 겪고 있었다.
정신병원과 적십자병원에 차례로 입원했으며 마사코에게서
편지가 오는 날에는 더욱 극심한 우울에 시달렸다고 한다.

돌아오지 않는 강 | 종이에 연필과 유채 | 1956

한 남자가 창가에 기대어 누군가를 기다리고 있다.
머리에 물건을 인 여자가 걸어오고 있다. 검은 눈이 내린다.
그는 생의 마지막까지 가족과 다시 만날 날을 기다렸다.

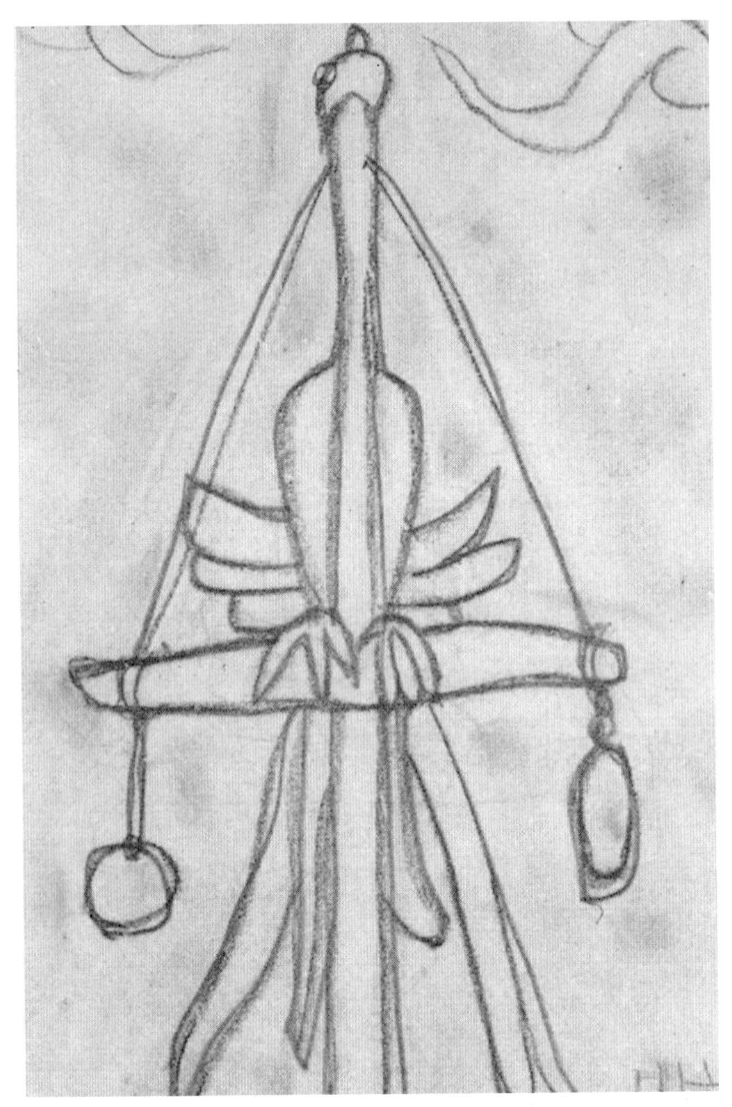

묶인 새 | 종이에 연필

내가 이중섭의 「묶인 새」를 찾고 있다는 이야기를 듣고,
『PAPER』의 한 독자분이 이 그림을 보내주셨다.
어느 도서관, 낡은 책에서 찾아낸 것이라며.
그래, 이런 느낌이었지. 이렇게 답답하고 목마르고 아득한 느낌.

little more

묶인 새 —이중섭

이제 갈래 멀리로

새가 날 때 다리는

어떻게 하는지 몰라, 갈래

그래도 해초 같은 그대 손에서

먼 하늘로

먼 하늘로

깊이깊이

아무것도 모르게 될 때까지

이제 갈래

놓아줘

—1987년, 이중섭을 생각하며 쓰다

화가 홍.순.명.에게 물.었.다.

Interview

나도 그림에 대해 말할 수 있나고

홍순명

설치미술가. 1959년 서울 출생. 부산대학교와 파리 에콜 데 보자르 졸업. 애틀랜타의 티모티 티유 화랑, 파리 벨프르와 화랑, 갤러리 현대에서 개인전 개최. 광주비엔날레, 부산국제 아트 페스티벌 등 다수의 그룹전에 참가.

……중학교 때까지 공부를 잘 하다가 고등학교에 들어가면서 흥미를 잃었다.

수업을 합법적으로 빼먹을 수 있는 방법이 없나, 고민하던 중 미술부가 눈에 들어왔다.

그림 그리는 게 싫지도 않고 해서 미술부에 들어갔다.

고2 때부터 성적이 너무 나빠져서 성적표를 집에 가져갈 수가 없었다.

성적표를 받으면 다음날 잃어버렸다고 하고 한 장을 다시 받아, 세밀한 조작에 들어갔다.

집에 보여주는 것 따로, 학교 가져가는 것 따로 만들기 위해서.

성적표를 조작하기 위해서는 교장, 교감, 담임, 보호자 도장이 필요한데,

도장을 파러 갔더니 아저씨가 그런 도장은 파줄 수가 없다고 했다.

결국 도장 파는 재료를 사서 직접 팠다. 그것이 판화를 시작한 계기였다.

고등학교 2년을 그렇게 다녔다. 내친 김에 미대에 들어가서 낙관도 공부했고,

미술교육과를 다니며 판화 작업을 주로 했다. 파리에서는 석판화를 전공했다.

이후 판화가 그런 게 아니란 걸 알게 되었고

지금까지 한 번도 판화에 손을 대본 적이 없다.

Preview

예기치도 않게 이런 책을 내게 되니 기쁨보다는 걱정이 앞선다. 아니 걱정이라기보다 어떤 의문이다. 기억을 더듬어보면 첫번째 단행본을 낼 때도 이런 의문을 가졌던 것 같다. 그것은 '국문학을 전공하지 않은 사람이, 단행본을 내도 괜찮은 걸까' 하는 의문이었다. 운명은 친절하게도 '너는 글을 써서 먹고살아라' 라고 말하며 여기까지 나를 데리고 왔지만, 나로서는 '내가 과연 제대로 된 문장을 쓸 줄이나 아는 걸까' 라는 생각을 하지 않을 수가 없었다. 솔직히 그 의문은 지금도 속 시원히 해결되지 않았다. 그런 상태에서, 이번에는 감히 그림에 대한 이야기를 늘어놓은 책을 내려 하는 것이다. 제대로 아는 것도 없는 주제에 말이다.

하지만 여기까지 와서 갑자기 발을 뺄 수는 없다. 나는 늘 누구나 그림과 친해질 수 있고, 누구나 그림을 보고 감동받을 수 있으며, 누구나 그것에 대해 이야기할 수 있다고 주장해왔다. 때문에 여기에서 한 발자국 앞으로 가기 위해서는, 이런 나의 주장에 설득력을 더해줄 누군가를 만나, 네 생각은 틀린 것이 아니다, 라는 검증을 받아야 한다. 가장 먼저 떠오른 사람은 홍순명 선생님이었다. "전통은 지키면 아름답고 깨부수면 재미있다"라고 말했던 그는, 이 책을 내기 전에 내가 반드시 만나야 할 사람이었다.

순명(이하 생략) 자, 오늘 어떤 이야기를 하고 싶어요?

경신(이하 생략) 그림에 대해 아는 게 하나도 없는
제가 이런 책을 내도 되는 건지…….

아는 게 왜 하나도 없어요. 아는 게 있으니까 이런 책을 쓰는 거지.

그림 자체에 대한 이야기가 아니잖아요.

내가 보기에는 그림 이야기 같던데……. 우리가 보는 각도와 너무 달라서, 그게 재미있었어요. 그런데 우리처럼 그림에 대한 일정한 상식을 갖고 있는 사람에게는 다른 각도지만, 그림에 대해 별로 관심이 없는 사람이 대부분이니까, 그 사람들에게 어떻게 보여질지는 모르죠.

선생님은 초등학교, 중학교, 고등학교 때 미술 성
적이 좋으셨어요?

성적이 좋았던 건 중2 때까지였고, 그 이후는 말하고 싶지 않아요.

미술도요?

미술은 잘 했어요. 그런데 초등학교 때는 미술을 제일 못했어요. 그러다 고등학교 가면서 미술만 성적이 좋아졌죠. 음악, 미술, 체육은 거의 만점이었어요.

초등학교 때는 그림 그리는 걸 싫어하셨어요?

싫진 않았지만, 그렇게 좋아하진 않았어요. 노래도 잘하고 악기도 다루고 운동도 잘했는데, 미술 잘한다는 말은 제대로 못 들어본 것 같아요. 대학 때도 미술실기 점수는 그렇게 좋지 않았어요.

학교 다닐 때, 그림을 어떤 식으로 그려라, 라는 말을 들어본 기억이 거의 없어요.

그 정도면 괜찮은 거죠. 시원찮은 선생님일 수는 있지만 아주 나쁜 선생님은 아니었던 거죠. 재능을 버리게 하는 선생님이 수두룩한데, 최소한 버리게 하진 않았으니까. 만약 그때 배운 그림에 대한 고정관념이 머릿속에 박혀 있으면, 이런 책은 쓸 수가 없을 걸요? (웃음) 고마워하셔야 돼요. 세상이 엿 같을 때는 가만 내버려둬주는 것만으로도 감사해야 해요.

똑같이 아무것도 받은 게 없는 상황에서도 그림을 잘 그리는 아이들은 있잖아요.

그림을 잘 그린다, 라고 말할 수 있는 기준이 뭐죠? 어릴 때 그림을 잘 그린다, 라는 건 대부분 묘사력이 좋다는 거예요. 물론 그런 애들이 그림을 계속 그리고 결국 화가가 될 확률이 높아요. 묘사력이 좋은 것을 보고 그림을 잘 그린다고 사람들이 부추겨주고, 칭찬을 받은 아이는 기분이 좋아서 더 열심히 그렸기 때문이죠.

묘사와 그림은 어떻게 다른가요?

묘사는 그림을 그릴 때 필요한 여러 가지 요소들 중 하나일 뿐이죠. 묘사력이 곧 예술은 절대 아니에요. 제가 볼 때에는, 묘사력이 없어도 얼마든지 화가가 될 수 있어요.

하지만 우리에게 잘 알려진 화가들은 거의 대부분 데생이 뛰어난 것 같던데요. 현대 쪽 화가들은 제가 잘 모르지만……

그렇죠. 옛날 화가들의 경우에는 제가 지금 한 말이 적용되지 않을 수 있어요. 하지만 제 개인적으로, 묘사력은 상관없다고 생각해요. 훈련하면 누구나 어느 정도는 할 수 있어요. 그림을 그리기 위해 묘사력은 필요하지만, 그게 절대적인 것은 아니란 거죠.

사생대회에 나가서 나무 같은 걸 그리려고 하는데, 볼 때마다 나무가 다른 색깔과 모습을 하고 있어서 당황했던 기억이 나요. 결국 전체를 뭉뚱그려서 대충 비슷한 색을 칠해버리고 마는 거예요.

예민하다. 인상파가 그래서 나온 거 아니에요?(웃음)

전혀 다르죠. (웃음) 전 그냥 대충 얼버무리니까, 평범하고 아무것도 아닌 그림이 되는 거예요. 그런데 그림을 잘 그린다고 하는 아이들을 보면, 세밀한 부분을 잡아내는 재능이 있는 것 같아요. 눈썰미도 있고.

그게 일반적인 경우지만, 아닌 경우도 많아요. 내가 사범대학을 나왔거든요. 교생 실습 때 초등학교에서 일주일 정도 그림을 가르친 적이 있어요. 내가 보기에 너무나 잘 그린 그림이 있는데, 그 그림이 왜 잘 그린 그림인지 아이들에게 설명을 해줘야 하잖아요. 그런데 아이들은 묘사력이 뛰어난 것만 잘 그렸다고 생각해요. 아이들이 알아들을 수 있는 단어로 설득력 있게 이유를 말해줘야 하는데, 너무 힘든 거예요. 초등학생들은 자기들이 쓸 수 있는 색깔만으로 그림을 그리잖아요.

어떤 아이들은 두 가지 색깔만 사용해서 그림을 그렸는데, 난 그게 마음에 들었어요. 야, 이렇게 용감한 그림은 처음 봤다, 씩씩하다, 그렇게 원초적인 단어로 표현을 해줘요. 그럼 그 아이는 너무나 좋아해요. 그림 잘 그린다는 소리를 난생 처음 들은 거예요. 선은 똑바로 그려라, 예쁜 색을 써라, 같은 상식적인 말만 듣다가 칭찬을 받으니까 아주 기뻐하죠. 그리고 아이들의 그림 속에서는 그 아이의 기질이 보여요. 이놈은 깡다구가 있겠구나, 이놈은 섬세하겠구나……. 그런 걸 보면서 그 아이의 기질에 맞추어 무조건 칭찬해주는 거예요. 백 명이면 백 명 다 칭찬 대상이지, 나무랄 대상이 없어요. 그리고 칭찬받은 부분은 자꾸 좋아져요. 아무리 나쁜 게 많아도 좋은 점을 찾아내서 그걸 부추겨주면 나쁜 게 점점 가려져요. 여하튼 가르친다는 건 굉장히 어려워요. 미술은 이래저래 너무 주관적이지 않아요?

좋은 그림을 그릴 수 있는 여러 가지 조건 중 하나가 묘사력일 뿐이라고 하셨는데, 또다른 조건에는 어떤 게 있을까요?

아주 많죠. 그런데 묘사력보다 훨씬 중요한 것은, 그걸 즐겨야 한다는 거예요. 그 안에서 즐거움을 찾을 수 있어야 해요. 그래야 힘들 때도 버텨나가죠. 즐겁지도 않은 상태가 계속되다가 슬럼프에 빠지면 헤어나질 못해요.

그림 그리는 것 자체를 즐겨야 한다구요?

취향에 맞아야 하는 거죠. 그건 모든 직업에 다 적용되는 거잖아요. 또 머리가 좋으면 굉장히 좋죠. 솔직히 말해서. (웃음)

어려운 환경 속에서 그림을 그린 사람들도 많았잖아요. 그림을 그리면서 괴로워한 화가들도 있겠죠?

그럼요. 잭슨 폴록은 그림을 그리다 괴로워서 자살했어요. 미국 근 · 현대 미술사의 최고 거장 중 한 명인데, 살아 생전에 모든 사람에게 배척당했죠. 그러면서도 미술을 끝까지 물고 늘어지다가 역사의 중압감을 자기 혼자 다 껴안고 자살한 사람이에요. 고흐도 그렇잖아요? 그 외에도 많이 있어요.

특별히 좋아하는 화가가 있으세요?

내가 경신씨 글을 읽으면서 부러웠던 부분이 그거예요. 내 입장에서 보면 경신씨는 아마추어잖아요. 아마추어인 사람이 그림 하나하나를 두고 갖는 기쁨과 슬픔, 자신의 마음으로 받아들여서 그걸 읽어나가는 과정이 난 부러웠어요. 우리는 너무 전문화되어서 이제 그 감성이 사라지고 있어요. 그게 난 너무 슬퍼요.

영화 만드는 사람들이 영화 보면서 분석하게 되는 것처럼?

분석을 해도 감동은 와야 하는데……. 이게 직업이다보니 마라톤 뛰듯 계속 뛰어야 하는 분위기이지, 한 발 한 발에 감성이 실려 있지 않은 느낌이어서, 항상 조심을 해요. 감성을 잃으면 안 되지, 생각하는데, 모르겠어요. 난 다른 사람보다는 많이 감동하고 사는 사람인데, 그림에는 감동을 잘 못해요.

예전에도 그러셨어요?

전 어처구니없는 이유로 그림을 시작했고, 그게 습성화되어서 지금까지 온 게 아닌가 싶어요. 그럴 때는 좀 슬프죠. 그렇다고 감동을 전혀 안 받는 건 아니고, 내 나름대로 좋아하는 작가가 있는데, 좋아하게 되는 이유가 너무 달라요. 지금 나에게 이런 부분이 모자라는데 이 작가는 그걸 잘 했구나, 해서 그 작가에 관심을 갖게 되고, 해결한 부분에 대해 감동하게 되는 거죠. 너무 계산적인 거 아니에요?

사람들이 난 그림을 잘 몰라, 그림은 어려워, 라는 말을 많이 하잖아요. 영화나 음악이나 글에 대해서는 누구나 한마디씩 하면서.

그것도 그 나름 아닌가요? 대중성을 띠고 있는 것에 대해서 그런 거 아닌가요?

클래식을 모른다고 해도 자신이 좋아하는 음악은 있잖아요.

어느 분야든 고급예술은 쉽게 이해가 안 되죠. 이해를 하기 위해서는 공부가 필요한 거고. 그런데 다른 분야들은 고르게 단계별로 포진이 되어 있잖아요. 상하의 개념은 아닐지 몰라도 여러 갈래로 잔가지들이 쫙 펼쳐져 있는데, 미술은 그게 잘 안 되어 있어요.

왜 그럴까요?

제 생각에는, 미술이 디자인, 공예 등등으로 갈라져버렸기 때문인 것 같아요. 예전의 미술에는 그런 것들이 다 포함되어 있었잖아요. 지금은 순수미술과 나뉘어져서 다른 분야가 되어버렸죠. 음악, 하면 클래식이나 오페라만 음악이라고 생각하는 사람도 있거든요. 그런가 하면 토요일 밤 홍익대 주변에는 음악에 미쳐 있으면서도 쉰

베르크가 누군지 모르는 사람들이 많을 거라구요. 그런 식으로 자기네 안에서는 구분이 되어 있을 거예요. 미술에서도 키치라고, 대중예술을 수용하는 게 있는데 그것도 너무 고급스러워요. 소위 말하는 팝아트 같은 것도, 말은 팝이지만 그걸 이해하려면 공부를 해야 해요. 쉽게 감성에 와 닿는 것을 발전시키지 않고 있죠. 우리나라에도 '이발소 미술'이라는 게 있잖아요. 그것이 갖고 있는 사회학적 의미들이 틀림없이 있다구요. 그 의미를 계속 부각시켜주고 하나의 장르로 인정해야 하는데, 다 죽어버린 거죠. 왜 그렇게 되었는지 모르겠어요.

외국의 경우는 어떤가요?

외국 나름이긴 하겠지만 프랑스의 경우 우리나라보다는 좀 낫죠. 우리나라에서 이름도 없는 작가들이 프랑스 어디에서 절찬리에 전시회를 했다, 작품을 다 팔았다, 라는 신문기사가 가끔 나오잖아요. 그럴 리가…… 라고 생각되지만 거짓말이 아닐 수도 있죠. 거긴 아주 작고 다양하게 나뉘어진 계층이 있고, 각층마다 소비자들이 있어요. 또 그게 두터워요. 우리나라는 그 층이 아주 얇죠. 미술이 어렵다고 말하는 건, 대중미술이 없어지고 있기 때문이에요. 난 '이발소 그림'을 보고 있으면 아주 재미있어요. 그런 그림 그리는 사람들을 가르치기도 했어요. 그 그림에서 그리는 사람은 중요하지 않지만, 표현의 중요한 부분은 많은 것 같아요. 쉽게 그리기 위해서 모든

게 다 만들어졌지만 그 안에는 일정한 룰이 있죠. 산이 있고, 그 아래 호수가 있고, 물레방아가 있고, 소를 몰고 밭을 가는 남자가 있고, 저쪽에서 아낙이 뭘 들고 온다거나 아이들이 놀고 있고, 집은 꼭 두세 채가 같이 있고, 그런 게 하나의 풍경으로 들어와 있죠. 옛날 우리나라 풍경 같은데 산은 몽블랑처럼 눈이 덮여 있고. 말이 안 되는 게 섞여 있는 거예요. 하지만 그걸 보는 사람에게 그 풍경은 자신이 그리는 꿈의 고향이에요. 그림에서는 그게 '소통'이 되는 거죠. 사람들도 자세히 보면 얼굴 표면에 숨구멍도 없이 맨질맨질해요. 현실의 사람이 아니라 꿈속의 사람이에요. 그런 그림이 나올 때 '남쪽나라 십자성', '아리조나 카이보이' 같은 노래들도 나왔어요. 가본 적도 없고 알지도 못하는 곳을 이야기하는 거예요. 그건 단지 꿈이고 환상이고 유토피아예요. 시간이 정지된 상태. 십 년 후에도 백 년 후에도 그대로인 곳. 그게 왜 의미가 없어요. 그걸 발전시키면 또 무슨 일이 벌어질 수도 있어요.

현재 미술계 안에 계신 분들 중에서, 선생님처럼
진보적인 생각을 하고 계신 분들이 많이 있나요?

많이 있어요. 그런데 문제는 그런 게 일반인들에게까지 전달될 수 있는 중간과정들이 소홀하다는 거예요. 사실 우리 미술인들의 잘못이에요. 안타까운 부분이죠. 그런 의미에서 이런 책이 나온다는 건 너무 좋은 거예요. 저도

요즘 책을 하나 쓰고 있는데, 전부 현대작가예요. 지금까지 썼던 이론가들의 글이 아니라, 작가의 시선에서 쓰는 거예요. 그거 아니면 저도 할 이유가 없죠. 나보다 글 잘 쓰는 사람이 수두룩한데. 그런데 이 책에서 보여주는 건 나하고 또다른 시각이잖아요. 굉장히 좋은 것 같아요. 세상에는 다양한 해석방법이 필요하잖아요. 내가 가진 감성과 다른 사람이 갖고 있는 감성을 알고, 내 안에서도 이런 각도, 저런 각도로 보고, 미술사적으로도 볼 수 있지만 아기 그림처럼 볼 수도 있고, 그게 미친 영향력도 읽어낼 수 있어야 하고, 완전히 또다른 각도에서 보기도 하고……. 이렇게 여러 각도에서 보는 눈이 자꾸 생겨야만 일반인들이 그중 하나를 선택할 수 있어요. 지금은 너무 일방적으로 한 군데에서만 이야기해주는 거죠. 중 · 고등학교 교과서에서만 말해주는 것.

'고흐는 인상파.'

인상파가 뭐냐고 물으면 대답도 못하면서 무조건 외우잖아요. '후기 인상파 세 명은 고흐, 고갱, 세잔', 그렇게 쓰면 그만이야. 그 사람들이 뭘 그렸는지도 모르고, 설사 알더라도 거기에 감동받은 건 하나도 없으면서. 진짜로 중요한 건 그림을 보고 좋아하는 거잖아요. 춤, 배워 보셨어요?

아뇨.

제가 살사를 배우러 다녔는데, 우리나라에서 춤을 배우면 일단 살사의 스텝을 가르쳐줘요. 첫번째 스텝이 맞춰지면 음악에 맞춰서 해보고, 다음 단계로 넘어가는 거죠. 그걸 배우고 나면 약간씩 응용하며 춤을 추게 되고, '나는 살사를 출 줄 안다' 라고 이야기를 하죠. 그런데 춤의 본산지인 쿠바나 도미니카, 유럽 등에서는, 춤을 배우러 가면 살사 음악을 먼저 틀어주고 거기 맞춰서 무조건 춤을 추라고 한대요. 그 음악이 내 몸에 들어왔을 때 춤의 스텝으로 들어가요. 근본적으로 너무 다른 거예요. 스텝을 알면 발자국의 순서는 기억하게 되지만 그 춤을 즐기는 것과는 다른 것이죠. 그림도 똑같은 거야. 세잔 그림에 눈꼽만큼도 감동받은 적 없는 사람이 세잔에 대해 책을 읽고 이론적으로 이해한 뒤 '나는 세잔을 알고 있다' 고 하는 건 슬픈 일이라는 거죠. 그림을 감상하는 데 있어, 미술 이론은 나중 일이에요. 우선 좋아하게 된 후에 이론까지 공부하면 더 큰 기쁨을 얻을 수는 있죠. 일단 음악에 맞춰 마음대로 춤을 춰보고, 그 음악이 홍겨워질 때, 좀더 깊이 들어가는 거죠. 이론을 외웠다고 감동이 오는 건 아니죠. 헌데 감동이 없으면 예술은 죽은 것이거든요. 경신씨가 쓴 글은 아마추어가 그림을 보고, 그걸 사랑하는 마음과 감동을 갖고 쓴 것이기 때문에 아주 가치가 있다고 봐요. 그런데 왜 그림 이야기를 시작했어요?

전 그림에 대해 콤플렉스가 있어요. 고등학교 때까지 항상 미술실기 시험 점수가 안 좋았어요.

음악 점수는 잘 나왔어요?

예. 어릴 때 피아노를 배웠으니까요. 미술은 아무리 노력해도 안 되기에 꽤 고민을 했는데, 대학 들어가서 우연한 기회에 화실을 일 년쯤 다니게 됐어요. 내가 정말 그림을 못 그리는 사람인가, 확인하고 싶었어요.

인생 정말 열정적으로 산다. 그림 하나쯤 못 그리면 어때서…….(웃음)

아니, 그게 아니구요, 정말 궁금했어요. 그림이란 게 재능을 타고난 사람만이 할 수 있는 것이다, 라는 생각이 있었고, 지금도 그렇게 생각해요.

뭐 솔직히 그런 부분이 있어요.

그런데 그런 그림을 가르쳐준다기에 배우러 다녔죠. 제가 다닌 화실은 다행히 입시학원이 아니었어요. 전 그 화실 선생님 덕분에 그림을 좋아하게 됐어요. 처음 들어가서 뭘 그려야 할지 모르겠다고 말씀드렸더니 '넌 뭘 좋아하니' 하고 물어보시더라구요. 제가 시를 쓴다고 말씀드렸더니 그걸 가지고 와보래요. 그래서 갖다드렸는데, 그중에서 몇 편을 뽑아 주시면서 그림으로 그려보라고 하셨어요.

그건 아주 좋은 방법이다.

그리고 재작년에 루브르 박물관을 갔는데, 「모나리자」를 비롯해서 유명하다고 하는 작품들을 쭉 봤지만 감동이 안 오는 거예요. 어떤 걸 보고 잘 그렸다고 하는 걸까, 라는 의문이 생겼죠. 그런 경험들을 하면서, 그림에 대해 조금 더 알고 싶다, 라는 생각이 들었어요. 클래식의 경우도 처음에는 낯설지만 자꾸 들으면 그 곡을 좋아할 수 있게 되잖아요.

그런데 인생에서 하나쯤 못하는 것이 있다는 게, 그렇게 화가 났어요?

화가 난 게 아니라 호기심이었어요. 전 그림을 좋아하고 싶었거든요. 그림에 대한 동경이죠.

그런데 오늘 저와 무슨 이야기를 하고 싶었어요?

그림을 보다보면, 유난히 제 마음을 끌어당기는 그림들이 있어요. 그런 그림들에 대해 내가 받았던 느낌을 이야기한다거나, 또는 제 개인적인 이야기들을 그림을 통해 해왔는데, 그림에 대해 아무것도 모르는 사람이 이런 책을 내도 되나, 라는 생각이 들었어요. 또 한편으로, 저는 그림이란 게 대중들과 격리되어 있는 예술이 아니어야 한다고 생각해요. 그림에 대해 내가 이야기해도 되나, 라는 생각과 동시에 그런 이야기를 하지 못한다는 건 잘못된 게 아닌가, 라는 생각이 들었죠. 그림을 그리시는 선생님의 입장에서는 이런 제 생각에 대해 어떻게 말씀하실까, 궁금했어요.

다른 사람과의 소통의 도구로 그림을 사용하는데, 소통의 문제에는 복잡한 것들이 많이 있어요. 많은 사람과 소통을 해야만 좋은 건 절대로 아니라고 생각해요. 거미줄처럼 얽히고 설키면서 영향을 미치죠. 산꼭대기에서 평생 별만 바라보며 사는 사람이 일반인들과 무슨 소통을 하겠어요. 그러나 그 사람이 필요 없다고는 말을 못하죠. 과학자들의 연구도 우리 일상사와 아무 관계 없을 수도 있어요. 하지만 그런 사람이 없다면 내가 아플 때 먹는 아스피린 한 알도 제대로 못 만들걸. 소통의 방법은 누구도 몰라요. 일반적으로는 미술평론가, 미술기자 등이 대중에게 나갈 수 있는 루트를 만들어주거나, 대중이 이해할 수 있는 언어로 다시 바꾸어서 설명해주죠. 그것 외에도 여러 가지 소통의 방법이 있어요. 우리가 노력도 해야 하지만, 노력하지 않는 과정에서도 틀림없이 어딘가 있어요.

그렇군요.

롤랑 바르트의 책에 "작품은 하나의 의견이다" 라는 말이 나와요. 제가 수업시간에 늘 써먹는 말인데, 저는 의견이 들어 있지 않은 것은 작품이 아니라고 봐요. 우리나라의 경우, 묘사를 잘하는 사람들의 작품들을 보면, 자신의 의견은 들어 있지 않고 묘사에서 끝나는 작품이 많은 것 같아요. 묘사만 하는 사람들의 단점이죠. 옛날 사람들은 의견과 묘사를 함께 하기 위해서 노력했는데, 묘사가 뛰어나다보니까 후배들이 묘사만을 받아들이고, 의견에 대해 공부하기를 게을리한 것 같아요. 또 서구에서 우리나라에 그림이 들어올 때 이런 부분에 대해 충실한 설명이 없었기 때문에 묘사를 잘하는 것이 미술이구나, 라는 생각을 갖게 된 거죠. 다 빈치나 미켈란젤로의 그림을 보면서 "야, 잘 그렸다, 실물하고 똑같네" 하고 말하고, 그렇게 그리면 잘 그리는 거라고 생각하게 된 거죠. 그러면서 의견은 빠져버린 거예요. 자기 생각이 계속 들어가는 것, 어떤 사물을 또다른 내 의견으로 만나는 것, 그게 미술이고 예술이거든요.

그럼 예술의 궁극적인 목적은 뭔가요?

결국 잘 먹고 잘 살자는 이야기지. 경제적으로든 정신적으로든 풍요롭게 살아보자는 거지. 좀더 나은 삶을. 그런데 나은 게 도대체 뭔지에 대해서 구체적으로 이야기를 해봐야 해요. '성실한 사람이 잘 사는 사회를' 이라는 표어가 있잖아요. 성실한 게 어떤 건지, 잘 사는 게 어떤 건지, 설명이 하나도 없이 그렇게 이야기해버리는 것, 그리고 그 말은 100% 옳은 것으로 치부되는 것, 그런 부분을 세세하게 짚어가는 것, 나는 이런 게 성실함이라고 생각한다, 나는 이런 게 잘 사는 거라고 생각한다, 하고 자신만의 의견을 제시하는 거죠. 그게 예술이에요.

그럼 저는 어떤 의견을 말하고 있는 걸까요?

경신씨는 여기 있는 이 그림들을 보면서, 지금까지 우리가 흔히 보아오지 않은 또다른 의견들을 냈어요. 그 의견이 얼마나 심도가 있나, 하는 건 다음 문제죠. 심도가 약해도 좋으니까 대중에게 어필할 수 있다거나, 혹은 일반적인 가치의 기준과는 다른 부분에서 어떤 가치를 띠고 있을 수 있어요. 무언가 새로운 가치를 띠고 있을 때 정말 좋은 책이 되는 거죠. 다 비슷비슷하다면 재미없는 책이 되는 거고.

그림을 그릴 때 작가의 의도라는 게 있잖아요. 선생님의 표현대로 하자면 일종의 '의견'인데, 그걸 전혀 다른 식으로 받아들여도 되는 걸까요?

할 수 없죠. 괜찮아요. 내가 말하고자 하는 걸 위해서 여러 가지 생각을 하잖아요. 그럼 거기까지 가는 길이 생길 거예요. 그게 예술이에요. 결과물은 예술이 아니에요. 그건 다른 사람들이 어떤 식으로든 사회에 구현시켜줄 수 있어요. 예술은 그런 걸 구현시켜줄 필요도 없고 할 수도 없고 어떤 면에서는 해서도 안 돼요. 전문가가 아니기 때문에. 대신에 이럴 수도 있고 저럴 수도 있다는 제시를 하는 거죠. 제시의 과정이 예술이고, 과정은 굉장히 다양할 수 있어요. 그건 결과가 아니고 구현이 아니기 때문에 그 안에 시행착오가 일어나게 돼요. 결과에서는 시행착오가 용납 안 되잖아요. 이렇게 가자, 하고 쫙 갔는데 히틀러처럼 되면 곤란하잖아요. 전문가들의 수준도 믿을 수 없긴 하지만 적어도 예술가가 할 일은 아니라는 거지. 우리는 원론적인 것을 가지고 다양한 방법으로 의견을 내놓는 것까지 가능하다는 거죠. 거기서 파생되는 또다른 의견은 오히려 예술세계의 밑거름이 될 수도 있어요.

네…….

내가 본 경신씨의 글들은, 소통이 되는 정도가 아니라 거의 중심 부분에 가 있을 정도로 정확하게 읽어내고 있는 글이에요. 그런데 미술사를 이야기하지 않은 것뿐이에요. 미술을 하나도 모른다고 했지만, 그건 미술사를 모른다거나 현대미술의 사조를 모른다거나 작가 이름을 줄줄이 외우지 못한다거나, 그런 걸 이야기하는 거겠죠. 그림을 보는 데 별로 필요 없을 수도 있는 부분을 모르는 것뿐이에요.

그렇다면 미술을 모르는 사람은 없겠네요.

그런 사람이 어떻게 있을 수가 있어요. 누구나 거기에 대해 감동할 수 있죠. 물론 그걸 더 많이 알고 있는 사람은 있겠죠. 소위 말해 아는 만큼 즐기게 되는 것. 그래서 더 좋아할 수 있고. 그렇지만 절대적인 게 아니에요. 미술사를 알아야 그림을 감상하는 건 절대로 아니에요. 대학 다닐 때 우리 선생님이 이런 말씀을 하셨어요. 넥타이는 그 형태가 일정하잖아요. 그런데 이런저런 무늬와 색깔과 질감으로 별별 것을 다 만들잖아요. 그런 게 수백 가지가 있어도 누구나 그중에서 자기가 좋아하는 걸 고를 수 있다는 거죠. 그렇다면 이미 취향이 있는 거예요. 그림도 그런 식으로 봐도 된다는 거지. 첫 출발은 누드도 좋고 풍경도 좋고 정물도 좋아요. 대부분의 사람들은 인상파 즈음의 그림들에 쉽게 접근하죠. 그게 진짜 좋으면 '왜 이 사람들은 이렇게 그렸을까' 라는 의구심이 조금이라도 생기게 되겠죠. 그때부터 인상파를 공부하면, 그 이전과 이후를 구분하게 되고, 왜 고흐를 인상파라 하지 않고 후기 인상파라고 하는지 조금씩 알게 되고. 그것도 몰라도 상관없어요. 내가 보고 좋으면 그만이지. 영화 볼 때 영화사 다 외우고 보지 않잖아요. 영화의 기법 중에서 제일 유명한 몽타주 기법이 뭔지도 모르는 사람이 많을걸? 그래도 모두 영화에 대해 의견을 가지고 있어요. 이 영화는 후졌어, 난 좋은데, 하면서 토론이 가능한 거죠. 똑같은 방법이 미술에도 적용될 수 있어요.

우리가 받은 교육이 화가를 진정으로 만날 수 있는 기회를 막아왔다는 생각도 들어요. '이 화가는 유명하다, 무슨 파고 무슨 장르다' 라고 주입받기 전에 그 화가의 그림을 먼저 만났다면, 좀더 가깝게 만날 수 있지 않았을까요?

그렇죠. 그리고 난 미술인이 아닌 사람이, 미술에 대한 책을 쓸 만큼 관심을 가져주었다는 것도 너무 고마워요.

그런 예가 없었나요?

미술애호가들이 쓰긴 하는데, 방향이 너무 다르죠. 자기가 소장하고 있는 그림들에 대해 폼나게 쓰는 거죠. 그랬건 저랬건 자꾸 그런 책이 나오면 좋다고 생각해요. 사람들이 그걸 보면서 미술에 조금이라도 관심을 가져준다는 게 중요하니까. 미술이 아니라 우리가 잘 알지 못하는 또다른 분야에 대해서라도.

그런데 선생님께서는 화가 중에서 천재라고 생각하는 사람이 있나요?

다 빈치. 다 빈치 외에는 별로 없다고 생각해요. 피카소는 천재성을 띠고 있지만 천재는 아닌 것 같아요. 다 빈치는 인간 자체가 천재예요. 우주인이고 괴물이에요.

외계인인가요? (웃음)

(웃음) 사진을 볼 때마다 만나보고 싶어. 파리에 있을 때, 식당에서 밥을 먹고 학교로 돌아가는데 저쪽에서 웬 외계인이 오는 거야. 백남준 선생이야. 처음 봤어요. "저, 선생님 너무 좋아하는데요, 10분이라도 좋으니까 시간

좀 내주세요." 무슨 용기에서 그랬는지 그렇게 말을 했어요. 점심 먹으러 가니까 같이 가재요. 그래서 또 점심을 먹으러 갔어요. 이런저런 이야기를 했는데, '저 사람은 나하고 종류가 다른 인간이야' 라는 걸 처음 느꼈어요. 뒤에 후광 같은 게 있는 느낌. 그런데 다 빈치를 만나면 어떻겠어요.

백남준 선생님 멋지시죠.

광장히 멋있어요. 마티스의 작업실에 어떤 부인이 와서 그림을 보고, "이 여자는 팔이 왜 이렇게 길어요?" 하니까 마티스가 "봐요, 이게 여자요? 그림이지", 그런 식으로 설명하거든요. 백남준 선생님도 말씀하시는 스타일이 아주 독특하고 재미있어요. 그때 백남준 선생님에게 제 작품 사진을 보여드리고, "저는 이런 걸 그리는 사람인데 혹시 유학 올 나라를 잘못 선택한 건 아닐까요?" 하고 물어봤어요. "굉장히 심각한 걸 그리는구만" 하더니 "난 그런 거 잘 모르겠고, 만약 바꿀 거라면 한국 사람 없는 데로 가면 좋지" 하고 진담 반 농담 반으로 말씀하시는데, 그 톤이 무서워요. 이상하고 멋있는 스케일이 있어요.

아까 다 빈치 이야기를 하셨는데, 전 사실 「모나리자」가 왜 유명한지 모르겠어요.

서양의 역사를 보면, 그 삶의 중심이 신이 되었다가 인간이 되었다가 하는 역사가 반복되죠. 이건 플라톤과 아리스토텔레스의 이성과 감성으로 인간사를 써나가는 것과 맞물려서 함께 가는 거예요. 「모나리자」는 르네상스가 시작되고 얼마 후에 그려졌는데, '르네상스' 란 말 자체가 '다시 태어나다' 거든요. 신에게 가려져 있던 인간이 다시 태어난 거죠. 르네상스 이전에는 신이나 성경에 나오는 인물들만 그렸어요. 그러다 르네상스, 즉 인간이 태어난 신호탄으로 '모나리자' 가 그려진 거죠. 그것도 여자가. 이 인간 중심의 세상은 서기 2000년이 넘은 지금까지도 계속되고 있잖아요? 또다른 각도에서 원근법에 대해 이야기 해보죠. 그림을 그린다는 것에는 3차원이 2차원에서 재현된다는 근원적 문제가 있어요. 3차원이 3차원으로 표현되는 조각에는 없는, 골치 아픈 문제죠. 그 고민의 아주 많은 부분이 원근법에 의해 해결된 거예요. 그 무렵에 다 빈치도 원근법을 사용하기 시작하죠. 「최후의 만찬」은 원근법을 아주 잘 사용했어요. 그런데 「모나리자」를 보면, 뒤의 풍경이 인물을 중심으로 해서 좌우의 높이가 안 맞아요. 그건 원근법적인 사고로 볼 때 시점이 안 맞는다는 거예요. 원근법이라는 대단한 이론이 세상에 금방 파고들어올 건 뻔하니까, 이 그림을 보는 사람이 맞지 않은 높낮이를 맞추려고 하다보면, 인물은 움직임이나 흔들림을 가질 수 있지 않을까, 다 빈치는 그런 식으로까지 추론했다고 봐요. 왜냐하면 '르네상스' 는 '다시 태어나다' 니까, 그는 이 여자에게 생명을 불어넣고 싶었던 거죠. 입가와 눈가 쪽에는 그림자 처리를 해서 흐려버리죠. 그래서 웃는 듯 마는 듯한 묘한 느낌을 주기 때문에 '모나리자의 미소'라는 말이 나온 거예요. 모나리자가 생명을 갖는 거죠. 다 빈치는 인간을 더 적극적으로 살릴 수 있는 방법을 연구한 거예요. 그런 건 지금 봐도 정말 감동스러워요. 어떻게 오백 년 전에 거기까지 생각하고 저런 방법을 연구했을까. 그런 걸 알고 보면 「모나리자」의 위대함은 대단한 거예요.

그림이라는 건 보이는 것을 그대로 화폭에 옮기는 거잖아요. 그런데 어떻게 처음에 원근법이 없을 수가 있어요?

보이는 그대로라는 건, 대상과 내가 움직이지 않는다는 전제 하에서 이야기할 수 있는 거잖아요. 그전에는 그런 전제가 없었어요. 원근법이 생기면서 그 전제가 생긴 거예요. 인간 자체가 이미 3차원이고 입체에요. 원근법에 대한 설명을 가장 잘 할 수 있는 예가 이집트 미술이에요. 이집트 화가들이 사람을 그리려고 보니까 사람은 입체고 그림은 평면이야. 인간은 코가 튀어나와 있는데 정면을 그리려니까 코가 안 튀어나온 거예요. 그래서 옆모습을 그린 거죠. 그런데 옆모습으로 몸을 그리면 팔이 하나밖에 없어요. 그래서 할 수 없이 몸은 앞모습을 그렸어요. 입체가 평면으로 넘어갈 때는 굉장히 많은 법칙이 있어요.

원시시대 때 동굴의 벽화를 그렸던 사람 중에서,
원근법에 의거해서 그린 사람은 없었을까요?

없죠.

어떻게 그럴 수가 있어요?

그러니까 원근법이 발명이라는 거예요. 그건 성경과 밀접한 관련이 있는 것 같아요. 성경에 보면, 너희가 나아가서 사물의 이름을 붙이고 지배하고 살라고 했어요. 인간중심의 사회가 만들어진 거죠. 아시아는 그렇지 않아요. 상호소통이에요. 자연과 내가 소통했지, 지배하면서 살지 않았어요. 원근법은 내가 주인공이에요. 내가 없으면 초점이 없는 거야. 동양화는 내가 있건 없건 모든 것에 초점이 맞춰져 있어요. 서구사상을 크게 이끌어왔던 성경 안에 원근법이 나올 수 있는 사고가 있었다는 거죠. 원근법은 굉장히 서구적이고 인간중심적인 사고예요. 거기에 잘못된 부분이 있다는 걸 최근에야 깨닫기 시작하고 바꾸려고 하는데, 미술에선 가장 큰 역할을 한 사람이 피카소예요. 피카소가 초점을 다시 깨부수죠. 상호소통의 가능성을 열기 시작한 사람이에요. 그런 면에서 피카소의 위대함은 다 빈치와 맞먹는다는 거죠.

한편으로는 피카소의 그림이 아기들이 그린 그림
같다고 하잖아요.

그렇죠. 피카소는 그런 고민을 했죠. 왜 보이는 어떤 한

면만을 그려야 하느냐, 이 부분과 이 부분이 예쁜데 왜 그 두 개를 같이 그리면 안 되느냐. 고정관념이 강해지다 보면 유아적인 부분조차 놓치고 산다는 거죠.

결국 갔다가 다시 돌아오는 거네요.

가보지도 않는 것과는 훨씬 다른 거죠. 이미 다 알면서 그걸 바꾸는 방법에 대해 고민을 하는 거예요. 사실적으로 묘사할 것인가, 또다른 방법을 연구할 것인가에 대해 피카소는 틀림없이 고민을 했다구요. 피카소는 데생을 잘하는 사람이니까. 이것과 저것을 동시에 그리는데 정교하게 그릴 것인지 또다른 방법으로 그릴 것인지에 대해 연구를 했을 거예요. 「아비뇽의 처녀들」에서 그런 고민들이 보여요. 서구에서는 인간이 위대하다고 생각했는데 우리나라에서는 별로 안 그랬던 것 같아요. 삼원법이란 자연과의 소통인데, 지금 서양에서 하고 있는 게 그거예요. 모든 걸 해체시키고 타자의 입장에서 다시 보는 것. 그러다보니까 제3세계 국가도 쳐다보고 여성문제도 나오고 자연보호문제도 나오는 거죠. 우리는 몇백 년 전부터 그런 사고가 있었고 지금까지 크게 변하지 않았는데, 이걸 현대화시키는 연구가 일어나면 지금보다 훨씬 좋은 대안을 쉽게 제시할 수 있는데, 거기에 대해 연구를 게을리 한다는 거죠. 무엇이든 과정이 중요해요. 99퍼센트는 과정이라고 생각해요. 세상에 완성이라는 건 없거든요. 이 세상에 완벽한 건 있을 필요도 없어요. 그럼에도 불구하고 인간은 완벽에 가까이 가기 위해 노력하거든요. 그 노력이 인간이 위대하다는 증거예요.

저도 미미하지만 그림과 친해지기 위한 노력을 한 거고…….

그림 전공도 안 한 사람이 그림에 대한 책을 내고.(웃음)

전 그림을 그린 게 아니라 그림에 대한 글을 쓴 거잖아요.(웃음)

이러다가 그림 전시회도 한다고 할지 몰라. 또 나하고 만나서 '그림을 전공 안 한 사람이 그림 전시회 하면 누가 뭐라 그러나요?' 하고 물어보면, 나는 '아유, 좋죠. 그림은 아무나 그릴 수 있는데요' 하고 대답하고. 하하…….

정리정돈 | 황경신

추천의 글

멋대로 구경하고 멋대로 느끼기

이 세상에는 두 종류의 사람이 있다. 그림을 그리는 사람과 그림을 구경하는 사람. 아니다, 따지고 보면 훨씬 더 많은 종류의 사람들이 있다. 그림을 그리지 않는 사람, 그림을 구경하지 않는 사람, 그림을 돈 받고 파는 사람, 그림을 돈 내고 사는 사람, 그림에서 어떤 느낌을 받을 줄 아는 사람, 그림을 봐도 아무런 감흥이 일지 않는 사람…….
세상에는 참으로 여러 종류의 사람들이 살고 있는 것이다.

그림을 잘 감상하는 첫번째 열쇠는 그 그림을 그린 사람의 의도를 읽어내는 것이라고 배웠다. 아, 이 화가는 저 풍경을 쓸쓸하게 바라보았구나. 아, 이 화가는 그림 속의 여인을 사랑했나 보구나…… 하는 등의 느낌을 그림 속의 선과 색채들을 통해 느끼고 공감하는 것. 그런 것들을 '느낄' 수 있다면, 그림을 감상할 수 있는 눈을 갖게 된 거라고 말한다.

그러나 그림들 중에는, 도무지 그 그림을 그린 화가의 의도를 이해할 수 없는 작품들도 있다. 그것도 세계적으로 널리 알려진 작가들의 작품 중에서 그런 작품들을 자주 접하게 되는데, 그런 경우는 참으로

난처해진다. 유명한 대가의 작품이라는데, 나에게는 손톱만큼의 감흥도 일어나지 않는 것이다. 참으로 당혹스러운 일이 아닐 수 없다. 그런 경우를 만나게 되면, 나의 예술적 감수성이라는 게 도대체가 '평균 수준 이하가 아닐까?' 하는 불안감에 휩싸이게 되곤 한다.

그러나, 그건 곰곰이 생각해보면 그렇게 걱정할 일이 아니다. 어떤 사람의 눈에는 장동건이 지상 최고의 미남으로 보이기도 하고, 또 어떤 사람들의 눈에는 그가 '날건달' 처럼 보이기도 하게 마련이니까……. 그림을 구경하고 느끼는 데에 어떤 특별한 방법이나 자세, 또는 태도 같은 것이 있다고 생각하지 않는다.

'황경신의 그림 바라보기' 는 그런 점에서 매우 매력적이라고 생각한다. 자기 마음대로, 자기 멋대로, 어떤 그림을 통해 자기 자신만의 독특한 느낌들을 길어올리는 것이다. 자기 멋대로인데도, 그 속에 어떤 설득력을 지니고 있다는 점이 참 신통하다.

화가들이 멋대로 그린 그림을, 보는 사람들도 멋대로 바라보고, 멋대로 자신만의 감흥을 느끼게 된다면 그야말로 '그보다 더 좋은 그림 감상법은 없다' 라는 것이 내 생각이다. '나는 그림을 볼 줄 몰라서……' 라며, 그림 구경하기를 꺼려했던 이들에게 이 책은 다정하고 친절한 안내자가 되어주리라 믿는다. 또한, 이미 자신만의 '그림 보기 방식' 을 획득한 사람들에게도 이 책은 이제까지 만나보기 어려웠던 독특한 시각을 제시하게 되리라고 생각한다.

김원(월간『PAPER』 편집인 · 아트디렉터)

그림 목록

황경신
초등학교 때는 포스터 그리는 걸 가장 싫어했고 중고등학교 때는 그림도구를 챙겨가는 것이 귀찮아서 미술시간을 싫어했다. 해마다 열리는 사생대회에서 상 한 번 받아본 적 없으며 이중섭, 샤갈, 달리를 좋아하긴 했지만 그림보다는 그들의 삶에 관심이 많았다. 대학 1학년 때, 아르바이트를 하여 모은 돈으로 1년 정도 화실을 다니면서 유화, 수채화, 정물화, 석고데생, 동판화 등을 수박 겉핥기식으로 섭렵했다. 그러나 이 시기에 소중한 성과를 하나 얻었으니, 그것은 '누구나 그림과 친해질 수 있다'는 화실 선생님의 가르침이었다. 1995년 11월, '아름다운 세상을 꿈꾸는 『PAPER』'를 창간하면서 다양한 문화와 접하기 시작했고, 2000년 12월부터 「황경신의 그림 같은 세상」이란 칼럼을 『PAPER』에 연재했다. 그림에 대한 글을 쓰면서, 그림을 제대로 못 그리는 사람도 그림을 좋아할 수 있다는 사실을 새삼스럽게 깨닫고 있는 중이다.

그림 같은 세상

1판 1쇄 | 2002년 12월 2일
1판 19쇄 | 2018년 5월 4일

지은이 | 황경신
펴낸이 | 정민영
책임편집 | 손경여, 김윤희
디자인 | 표지ㅣ김은희, 본문ㅣ안지미(디렉터) 박새로미
마케팅 | 정민호 이숙재 정현민 김도윤 안남영
제작처 | 한영문화사

펴낸곳 | (주)아트북스
출판등록 | 2001년 5월 18일 제406-2003-057호
주소 | 10881 경기도 파주시 회동길 210
대표전화 | 031-955-8888
문의전화 | 031-955-7977(편집부) | 031-955-3578(마케팅)
팩스 | 031-955-8855
전자우편 | artbooks21@naver.com
트위터 | @artbooks21
페이스북 | www.facebook.com/artbooks.pub

ISBN 89-89800-08-0 03600